TEXTO
Eduardo Lemaitre

COORDINACION EDITORIAL
Gloria Lucía Fernández G

DISEÑO Y DIAGRAMACION
Carlos Mario Jaramillo M
Hola Colina

EDICION, IMPRESION Y ENCUADERNACION
Compañía Litográfica Nacional S.A.
Editorial Colina

COMPOSICION DE TEXTOS Y SELECCION DE COLOR
Fotolito Colina

DISTRIBUCION
Hola Colina
Tels: 2663211 Medellín, 2170455 Santafé de Bogotá
Apartado 3674, Medellín, Colombia

ISBN: 958-638-090-4

BREVE HISTORIA DE CARTAGENA

EDUARDO LEMAITRE

INDICE

EL DESCUBRIMIENTO Y LA CONQUISTA

LA COLONIA

LA INDEPENDENCIA

LA REPUBLICA

EL DESCUBRIMIENTO Y LA CONQUISTA

ORIGENES

Cuando los descubridores españoles llegaron a la bahía de la futura Cartagena de Indias, en aquella región existía una abundante población indígena, perteneciente a los "mocanáes", tribu de la raza caribe.

Casi todos los cronistas de Indias describen a esta tribu como pueblo feroz y belicoso, en el que las mujeres peleaban al par de los varones, expertos en arrojar flechas "con yerba de la mala" e inclusive antropófagos. Sin embargo, aunque muy inferiores a otros nativos americanos, estos aborígenes no estaban exentos de algunos valores culturales respetables; eran hábiles en la confección de tejidos y en la construcción de grandes canoas; su lengua tenía una interesante estructura gramatical; rendían culto piadoso a sus muertos; conocían muy bien la fauna y la flora que los rodeaba; poseían rudimentos astronómicos que les permitían orientarse con precisión; y, en fin, eran expertos constructores de armas y de utensilios domésticos.

Descubrimiento de la Bahía de Cartagena y origen de este nombre.

El descubrimiento de la bahía de Cartagena se debe a Rodrigo de Bastidas, antiguo notario sevillano, quien ya había hecho un viaje al Nuevo Mundo con el propio Colón, y quiso luego participar directamente en aquellas aventuras, para lo cual organizó una expedición descubridora de la que hizo parte el célebre cosmógrafo Juan de la Cosa. Pero Bastidas apenas pasó por frente a la bahía, y, creyendo que se trataba de un golfo, le dio el nombre de "Golfo de Barú". Esto ocurrió en el año de 1501.

Sin embargo, poco tiempo después, en una Real Provisión de la Reina Isabel la Católica, expedida en 1503, aparece ya documentalmente, y por primera vez, el nombre de Cartagena para designar la bahía que Bastidas había juzgado ser un golfo. Pero, ¿quién le puso ese nombre?

Mucho es lo que se ha discutido sobre estos puntos históricos. Los cronistas mismos se lo atribuyeron a varios descubridores y navegantes, entre los cuales al propio Bastidas, lo cual es inexacto, y aun al mismo Cristóbal Colón, quien jamás estuvo en nuestras costas; pero lo más probable es que ese nombre se lo hubiera sugerido a la Reina, Juan de la Cosa, a quien ésta solía consultar.

Menos clara aún está la razón por la cual se escogió el nombre de Cartagena para designar aquel descubrimiento. El cronista D. Juan de Castellanos dice que ello se debió a la semejanza de nuestra bahía "con la que de tormentas es ajena en las aguas que dicen de Levante", o sea con Cartagena de España; mas el hecho cierto es que entre los dos puertos no existe ningún parecido. Otro cronista, Pedro Mártir de Anglería, afirma que "no halló razón para este nombre... ni la hay, sino el hablar los marineros de bella gracia y fuera de propósito". Gonzalo Fernández de Oviedo cree también que este nombre se le dio "a disparate de marineros"; y no falta quien piensa que él se debió a que muchos tripulantes de las naves descubridoras eran oriundos del puerto de Cartagena en España.

Los historiadores no han podido, pues, develar este enigma, y lo único cierto es que el nombre de Cartagena se le dio primero a su bahía y puertos; y que luego, "por introducción", como dice otro cronista más, Fray Pedro de Aguado, prevaleció este nombre sobre el de Calamar, que fue como los mismos españoles llamaron originalmente a la aldea indígena en cuyo territorio fue fundada luego la ciudad.

Navegantes célebres: Ojeda y Juan de la Cosa

Muchos navegantes y conquistadores famosos pasaron por la bahía de Cartagena después de su descubrimiento por Bastidas, y antes de que la ciudad fuera fundada: Alonso de Ojeda, Américo Vespucio, Francisco Pizarro, Diego de Nicuesa, Pedrarias Dávila, Vasco Núñez de Balboa y otros de menor renombre. Ojeda llegó a ser nombrado Gobernador de una región aún ignota a la que se le dio el nombre de "Nueva Andalucía", y que tenía como epicentro a la bahía de Cartagena; pero su intento de desembarcar allí en 1509 concluyó en completo desastre: los indios "yurbacos" lo pusieron en fuga con sus flechas envenenadas y, en la refriega o "guazabara", perdió la vida, entre otros, el propio y ya célebre Juan de la Cosa.

La gloria de fundar a Cartagena, con todas las fórmulas del ceremonial jurídico hispánico, le correspondería así a Don Pedro de Heredia, y esa fundación no vendría a ocurrir sino en el año de 1533. Así, pues, durante 32 años después de su descubrimiento para los ojos europeos, la bahía de Cartagena, y su territorio, siguieron en manos de sus anteriores dueños, los caribes. Pero los caribes tampoco eran oriundos del país, sino invasores procedentes de las selvas del Matto Grosso brasileño, que, a su vez, unos dos siglos antes, habían desalojado a otros pueblos primitivos allí radicados con anterioridad.

Don Pedro de Heredia Fundador de Cartagena.
Estatua ejecutada por el escultor Juan de Avalos que se levanta frente a la puerta principal
de la ciudad. Inaugurada en 1963 por iniciativa del autor de esta obra.

Don Pedro de Heredia: sus mocedades

De D. Pedro de Heredia se sabe que "fue hidalgo nacido de padres nobles y parentela conocida en la Villa de Madrid", según nos cuenta el cronista Fray Pedro Simón. Mozo valiente y arriscado, jamás rehuyó participar en las pendencias que se le presentaran; y en una de ellas, habiéndose trabado a capa y espada contra seis adversarios, salió malferido en las narices, que luego, le compuso, aunque imperfectamente, porque le quedaron "amoratadas y mal fechas", un famoso médico de la corte. D. Pedro se desquitó luego de tamaña ofensa, ultimando en posteriores lances, a tres de sus agresores. Fue entonces cuando, "por declinar jurisdicción", o sea por huir de la justicia que lo perseguía, pasó a las Indias, y se estableció en Santo Domingo "con razonable caudal y en qué entretenerse en un ingenio de azúcar y una estancia que había heredado de un amigo suyo".

Mas no estaba hecho Heredia para las reposadas labores agrícolas. Y pronto pasó a Santa Marta, ciudad entonces recién fundada por Rodrigo de Bastidas, en calidad de Teniente del nuevo Gobernador en esa ciudad, D. Pedro de Badillo. Allí se enriqueció en el rescate de oro de los indígenas (o sea en el trueque de oro por baratijas) y se familiarizó con el territorio que pisaba, e incluso parece que excursionó brevemente por la orilla oriental del Río Grande de la Magdalena y sobre la región de la bahía de Cartagena.

Entonces fue a España y pidió y consiguió que se le diera el gobierno de esa región. Las "Capitulaciones" se firmaron en Tordesillas con la Reina Doña Juana la Loca, en 5 de junio de 1532, y ya el 14 de enero del año siguiente el conquistador desembarcaba en la bahía de Cartagena, exactamente en la península de Bocagrande. Venía "con una nao y dos carabelas y una fusta en que metería 150 hombres de guerra y 22 cavallos". Y lo acompañaban, como Teniente, Francisco César y como intérprete cierta india, llamada Catalina, oriunda de Galerazamba, a quien veinte años antes, el descubridor Diego de Nicuesa se había llevado consigo para Santo Domingo, "siendo muchacha". Catalina le sería, como veremos, de gran utilidad al de Heredia.

FUNDACION DE CARTAGENA

"Calamari" o "Caramari", que en el lenguaje indígena significaba "cangrejo", y que Heredia y sus gentes españolizaron llamándole simplemente "Calamar", era el nombre con que los nativos denominaban una aldehuela situada en el último repliegue de la bahía de Cartagena, hacia el Norte: pueblo pajizo, con techos que casi llegaban a tierra, rodeado de fuerte empalizada circular árboles espinosos coronados de calaveras, cuyos habitantes estaban sun en secular barbarie, pero también en absoluta libertad.

Y allí, sobre ese pueblo indígena, cayó D. Pedro de Heredia, apenas desembarcado en Bocagrande. El mismo conquistador, en una carta al Emperador Carlos V, relató los hechos: "y había andado cerca de una legua por la costa del mar, cuando, yendo que íbamos, topamos con un escuadrón de indios... que nos comenzaron a flechar; arremetimos a ellos; volviéronnos las espaldas; alcanzámoslos a cavallo luego; no consentí que se matara ninguno, antes los rodeamos e tomamos uno de ellos para saber la lengua de la tierra, el cual, después de tomado, nos llevó al pueblo (pero) cuando llegamos no había nadie dentro, sino los buhíos cerrados". Quedaba, empero, un indio viejo, al que llamaron "Corinche", voz que en su lengua quería decir "arroyo", pues él les dijo que los llevaría donde había agua corriente, y por eso le pusieron dicho nombre.

Regresó entonces Heredia al sitio de su desembarco, y como no encontrara allí buena agua, volvió a Calamar, que la tenía mejor, sin duda de casimbas, y sentó allí provisionalmente su Real o Campamento (hizo "assiento", como entonces se decía) en una fecha que debió estar alrededor del 20 de enero de 1533. Pero, deseoso de encontrar sitio con agua suficiente y abundante, envió por mar dos comisiones: una hacia el Sur, en dirección al río Sinú, y otra hacia el Norte, en la del Río Grande de la Magdalena. Esta última llegó pronto a Zamba (hoy Galerazamba) que pareció a los comisionados lugar mejor para "poblar", o sea, para fundar allí una población estable; y Heredia resolvió entonces inspeccionar por sí mismo la comarca, para lo cual tomó como guía al indio "Corinche". Pero "Corinche" lo traicionó, o, mejor dicho sirvió bien los intereses de su gente, o tal vez no entendió lo que le pedían, y en vez de llevarlo hacia Zamba, lo condujo a Turbaco, en cuyo camino fueron súbitamente atacados por los indios del lugar. Siguió luego un largo combate o "guazabara", en el que Heredia venció después de dura pelea, e impuso su ley a la vencida población. Es la que en la Historia se conoce con el nombre un poco pomposo de "la batalla de Turbaco".

Eliminado así el peligro de los Yurbacos, Heredia regresó a Calamar, y tomó luego el verdadero rumbo de Zamba, a donde llegó acompañado de la India Catalina, quien regresaba así, por primera vez, a su tierra natal, y fue recibida con alborozo por su extensa parentela. Pero no satisfizo al conquistador la situación de ese lugar "para disposición de pueblo principal", aunque celebró la hospitalidad de sus habitantes, y la riqueza de la tierra, que le produjo copiosos rescates de oro.

Excursionó luego el Gobernador Heredia por las proximidades del Río Magdalena, y después de un largo recorrido, acumuló enorme botín, y en especial dos célebres joyas, un puerco espín de oro macizo, que pesaba más de 60 kilogramos y que era adorado en el templo de la población de Cipagua; y ocho patos, también de oro macizo, con peso de 40 ducados (1.360 Kg.) cada uno, que se hallaban en el pueblo de Cornapacúa.

Decidió entonces Heredia, "porque el invierno se entra, de recogernos a Calamar, que es el puerto de Cartagena a donde primero estavamos", según expresión propia, estampada en su carta a Carlos V.Y como, ya estando allí, regresaron los comisionados que había enviado por mar hacia el Sinú, con malas noticias sobre la posibilidad de fundar, en esa región, la capital de su Gobernación, se decidió a hacerlo sobre la propia isla de Calamar, pero no sin antes expedicionar y registrar minuciosamente toda la bahía, para ver si encontraba agua corriente, y para pacificar a los indios que habitaban en sus orillas, lo que logró, ora por la fuerza, como ocurrió con el cacique de la Isla de Carex (luego Codego, hoy Tierrabomba) al que derrotó en una sangrienta guazabara: ya por medios diplomáticos, como fue el caso del cacique Dulió, señor de Bahaire, en Barú.

Así las cosas, el Gobernador Heredia procedió a fundar oficialmente y con todos los requisitos legales, su ciudad capital, acto que se efectuó el 1 de junio de 1533, en el mismo sitio en el cual estaba la aldea de Calamar, donde hacia el 20 de enero había hecho su asiento provisional: se trazaron calles, cuadras y plazas, se repartieron solares para los primeros pobladores; se despejaron los manglares circundantes; se eligieron alcaldes y funcionarios, y se cumplieron las demás fórmulas rituales del ceremonial exigido por las leyes. Quedó así fundada Cartagena, denominada primero "Cartagena de Poniente", para diferenciarla de "Cartagena de Levante", en España; y luego, "Cartagena de Indias", que conservó hasta fines del régimen colonial y principios de la República, y con el cual se le conoce aún en España.

LA GOBERNACION DE D. PEDRO DE HEREDIA

Los sepulcros del Sinú

El botín recogido pacíficamente por Heredia, que algunos cronistas hacen subir a un millón y medio de pesos oro, fue cuantiosísimo, y como dato curioso se anota que mientras a los soldados de Pizarro en el Perú, no les tocó en el reparto de los tesoros de Atahualpa más que 4.400 ducados, y a los de Hernán Cortés, en México, unos 1.000, a los del fundador de Cartagena, sacada la parte del Rey llamada "el quinto real", les correspondió un dividendo de 6.000 ducados.

Este afortunado comienzo, incitó a Heredia a continuar recorriendo la región, y, poco tiempo después de fundada oficialmente Cartagena, se lanzó a una nueva expedición, esta vez hacia el Sur, al frente de 200 infantes, muchos negros esclavos en calidad de macheteros de avanzada, que iban abriendo camino, y 50 jinetes; expedición en la que "no les faltaron muchas guazabaras con los indios que fueron encontrando, en que le mataron algunos soldados..."; o sea que ya la recepción de los indígenas no fue, como al principio, del todo pacífica. Durante esa "entrada", Heredia descubrió los célebres sepulcros del Sinú.

Había, en efecto, en un lugar llamado "Finzenú", próximo al río Sinú, y gobernado por una cacica, cierto valle en donde los indígenas de la comarca, solían llevar a sus difuntos para enterrarlos, junto con las joyas de oro que habían poseído en su vida. Era aquel un lugar sagrado cuyo templo estaba rodeado por árboles en los que colgaban campanillas de oro, y en cuyo interior había unos grandes ídolos de madera enchapados de oro, unos frente a otros, de los cuales pendían hamacas, donde los indios colocaban sus ofrendas a los dioses. Pues bien: sobre todo esto cayeron los conquistadores españoles. "Allí acabó de cebarse la codicia del Gobernador", nos dice el cronista Simón; y, en efecto, fue tal el saqueo que Heredia hizo de aquellas sepulturas, las cuales explotó como si fueran una mina de oro; y tal la cantidad del precioso metal de allí extraído, que durante muchos años, en todas las Indias, fue popular un refrán, según el cual "desgraciado el Pirú (o Perú) si se descubre (primero) el Sinú".

Después de este grandioso, pero sacrílego éxito, D. Pedro trató de encontrar el sitio de donde aquel oro procedía, pues en la región no había minas auríferas, y excursionó entonces hacia una remota región, por los indios llamada "Panzenú" (donde hoy quedan las sabanas de Ayapel) y "Zenufana", (hoy Departamento de Antioquia); pero esa última parte de su "entrada" terminó en un completo fracaso, tanto por la hostilidad de los indios, como por la falta de provisiones. Los expedicionarios regresaron así a Cartagena tan enfermos y demacrados, "que parecían, -dice el cronista-, que los habían sacado de los sepulcros de que no cesaban de hablar".

Heredia es residenciado

En los años siguientes a aquellos descubrimientos, conquistas y saqueos, Heredia realizó nuevas y más atrevidas incursiones, bien personal y directamente, ora por intermedio de sus Tenientes. En una de ellas, Francisco César, por órdenes suyas, penetró al fin, por la vía del Golfo de Urabá, en las deseadas montañas del "Zenufana", donde venció y expolió al célebre Cacique Nutibara.

Luego sobrevinieron para el conquistador tiempos desgraciados. Acusado ante la Corte por el Obispo de Cartagena, Fray Tomás del Toro, y por sus propios conmilitones, aquella envió como juez para "residenciarlo" (o sea para investigar su conducta) a Juan de Vadillo, quien era por cierto la persona menos indicada para esta misión, por ser socio de Heredia en la campaña conquistadora, y estar descontento con éste. No es pues, de asombrar que Heredia y su hermano D. Alonso fueran reducidos a ásperas prisiones en Cartagena misma, de las que D. Pedro no se pudo librar sino con fianzas, y eso gracias a la gran cantidad de oro que su Teniente Francisco César había traído de Antioquia, y que le entregó, con entera lealtad.

Heredia viajó entonces a España para justificarse; y de allí, una vez absuelto, regresó a sus nuevos lares indianos, rehabilitado y decorado con el título honorífico de "Adelantado".

Nuevas expediciones de Heredia. Su disputa con Belalcázar. El corsario Roberto Baal asalta a Cartagena

De nuevo en su ciudad, el Adelantado D. Pedro de Heredia se lanzó sobre Antioquia, por la misma ruta de Urabá, ya descubierta por Francisco César. Pero en el Sur le aguardaba una ingrata sorpresa. Otro conquistador, y no de cualquier clase, D. Sebastián de Belalcázar, que venía del Perú, de Sur a Norte, descubriendo, conquistando y poblando, se opuso a su avance, alegando tener derecho sobre aquella provincia; y, aprovechándose de la superioridad de sus fuerzas, redujo a prisión a D. Pedro y lo remitió a Panamá para que la Audiencia de esa ciudad lo juzgara. En Panamá, sin embargo, absolvieron al fundador de Cartagena, y éste regresó a su Capital.

Y a buena hora, pues no habían pasado muchos días desde su regreso, cuando cayó sobre la ciudad, sorpresivamente, un pirata francés, el primero de una larga serie en la vida de Cartagena, llamado Roberto Baal, con mil hombres de desembarco.

En efecto, en la víspera del día en que, muy de mañana, debía verificarse el matrimonio de una sobrina de Heredia con un capitán de su hueste, el pirata Baal desembarcó silenciosamente en las cercanías de la ciudad, que entonces carecía de defensas militares. Y cuando, ya dentro del poblado, empezó a tocar sus trompetas, clarines y tambores de guerra, los vecinos adormilados creyeron que "era comenzarse la fiesta de la boda", y no acudieron sino tarde, cuando ya los franceses eran dueños de la situación.

Pica en mano, y revestido de coracinas, Heredia recordó en aquella ocasión sus tiempos de espadachín, y se batió "valerosísimamente", según cuentan los cronistas, cuando los asaltantes trataron de subir las escaleras de su casa. Mas no pudiendo detener el empuje de tantos invasores, saltó las tapias de aquella, y junto con sus sobrinos y la novia del proyectado matrimonio, fue a refugiarse en los montes vecinos.

La ciudad quedó entonces a merced de los franceses, los cuales no salieron de ella sino cuando, por intermedio del Obispo, pudo Heredia reunir y pagar 200.000 pesos de buen oro, "quedando la ciudad en suma pobreza".

Este infortunado episodio fue causa de muchas críticas para Heredia, y uno de los motivos de su segundo juicio de residencia.

Ultimos años de la gobernación de D. Pedro de Heredia

Después de la toma y saqueo de la naciente Cartagena por Roberto Baal, Heredia necesitaba, más que nunca, nuevos recursos pecuniarios para sostenerse. En consecuencia, apenas liberado de aquella pesadilla, partió de nuevo para Antioquia, que Belalcázar, ocupado en otros menesteres, había abandonado.

Y en Antioquia permaneció casi un año, ejerciendo el mando como en casa propia, excursionando, conquistando y, sobra decirlo, rescatando o pillando oro de los indígenas. Mas, pareciéndole al Gobernador haber sido demasiada la ausencia de su ciudad, "tomó la vuelta de Urabá, y de allí a Cartagena, donde halló arto mutiladas las cosas..."

En efecto, un nuevo Juez de Residencia, el Licenciado Díaz de Armendáriz, había llegado a la ciudad e iba a ser sometido a nueva investigación. Además, este juez venía investido de poderes para implantar en Cartagena, y en todo el

Reino, las llamadas "Leyes Nuevas", que fueron unas ordenanzas decretadas por Carlos V, con el propósito de refrenar los abusos de los conquistadores. Heredia, felizmente, pudo justificar de nuevo su conducta como Gobernador, y, pasada esta prueba, como ya los años le iban cayendo, dedicó la mayor parte de sus esfuerzos a la mejor organización y administración de la ciudad por él fundada, a la que había resuelto vincular definitivamente su vida.

El Alboroto de los Frailes

Durante esta última etapa, Heredia se vio enfrentado a numerosas vicisitudes. Una de ellas fue cierta conspiración contra su vida que se conoció en aquel tiempo con el nombre de "el alboroto de los frailes", pero que principalmente estaba dirigida a rebelarse contra la vigencia de las "Leyes Nuevas". Esta conjura, a cuya cabeza se habían puesto unos frailes, capitaneados por un tal Fray Andrés de Albis, y que había de comenzar con la muerte del Adelantado en la iglesia de Santo Domingo apenas el de Albis dijera ciertas palabras e hiciera unas señas desde el púlpito, fue detectada a tiempo por Heredia, quien, con velocidad y energía, aplastó en su cuna la conspiración e hizo ejemplar castigo con sus promotores.

También por esos años postreros tuvo D. Pedro que enfrentarse a otra grave emergencia, y fue el pavoroso incendio ocurrido en 1.551, que destruyó y arrasó totalmente a Cartagena, una ciudad entonces casi toda pajiza, y que fue necesario reedificar, no sin grandes esfuerzos, pues para entonces ya el oro de los indígenas estaba casi agotado.

Muerte de D. Pedro de Heredia

Pasados los sucesos narrados anteriormente, la vida de Cartagena comenzó a tomar un ritmo más sosegado. La ciudad no era ya una simple base de operaciones conquistadoras, sino una verdadera colonia, cuya actividad principal era la del comercio, y la de servir como escala portuaria para los viajeros y mercancías que se dirigían hacia el Perú. A su bahía empezó a llegar regularmente la llamada "flota de Galeones", y pronto se descubrió que desde Cartagena era posible defender mejor todo el istmo del Darién y, por consecuencia, el recién descubierto imperio de los Incas.

Pero los años no habían pasado en balde para el fundador, quien, no ya tan viejo como gastado por tantas peripecias en climas insalubres, hallábase más inclinado al reposo que al incesante batallar de otros días. D. Pedro se hizo entonces devoto.

Mas no le faltaban los enemigos. Un grupo de ellos volvió a acusarlo ante la Corte; y ésta envió sobre él un nuevo Juez de Residencia: el doctor Juan de

Maldonado. Heredia entonces resolvió trasladarse a España, para responder personalmente de aquellas acusaciones, como lo había hecho victoriosamente en ocasión anterior, y, junto con su sobrino, el Capitán Alvaro de Mendoza, se embarcó a fines del año de 1.554 en la flota de galeones comandada por Cosme Farfán, en dirección a Cádiz: mejor no lo hiciera.

En efecto, aquella flota fue perseguida incesantemente por un sino fatídico. Primero fue una gran tempestad a la altura de Jamaica. Luego a la salida de La Habana, otro temporal la hizo recalar de arribada en Matanzas, donde se perdió una primera nave; más adelante, en "la Canal de la Bahama", frente a las costas de la Florida, sobrevino tan furioso vendaval, -sin duda un huracán-, que allí zozobraron varios galeones, entre ellos el llamado "La Condesa", donde viajaba Heredia, quien se salvó literalmente "en una tabla" o, como dice el cronista, "asido a unos maderos y árboles que nadaban", hasta que fue recogido por otro navío llamado "La Bretendona". Pero ni aún así, luego de calmado aquel temporal, la flota de Farfán pudo sobreponerse a su infausto destino. Nuevas tempestades siguieron acosándola en la travesía hacia Europa, hasta que, a la vista ya de Cádiz, "La Bretendona" encalló, y los pasajeros, entre ellos el ya anciano D. Pedro de Heredia, tuvieron que arrojarse al agua para ganar a nado la orilla. Y allí, frente a la playa de "Arenas Gordas" acabó la vida "del Capitán egregio, sabio, fuerte, indigno de morir tan mala muerte" ...porque... "una encrespada ola lo envolvió y le dio sepultura", cuando precisamente ya había logrado tocar fondo. Su cuerpo no pudo ser rescatado.

La muerte de D. Pedro de Heredia fue llorada en Cartagena por la gran mayoría de sus vecinos, que lo tuvieron por Padre de la Patria. Se le hicieron pomposos funerales, en donde cada uno de los caciques de la región sostenía una luminaria, y se le compuso posteriormente el siguiente epitafio:

"Al insuperable Marte
Venció la tormenta fiera
Dando fin a su carrera;
Pero no pudo ser parte
Para que su fama muera:
Antes, la más breve suma
De sus hechos, pide pluma
De tan sonorosa trompa,
Que ni el Tiempo la corrompa
Ni Malicia los consuma.

LA COLONIA

PROSPERIDAD DE CARTAGENA

Título de Ciudad y Escudo de Armas

Antes de morir, Heredia alcanzó a ver cómo la ciudad por él fundada se expandía y progresaba a ojos vistas. Ahora bien, este desarrollo no se detuvo con su muerte, sino que avanzó a pasos agigantados.

Varias fueron las razones de este adelanto: ante todo, Cartagena se hallaba a la orilla de un gran puerto, seguro, profundo y difícil de forzar por el enemigo en caso de ataque. Se encontraba, además, en el centro de la cuenca del mar Caribe, y era el puerto terminal más próximo a la desembocadura del Río Magdalena, vía obligada de penetración al Nuevo Reino de Granada, y por tanto su mejor guardián. Y, en fin, su proximidad al Istmo de Panamá, que carecía de puertos abrigados sobre el Caribe, la convertían de hecho en la protectora del comercio interoceánico y, por ende, de los tesoros que procedían del Perú y que comenzaban a ser expoliados por sus conquistadores. Las potencias rivales de España no ignoraban esto, y por eso, pronto, ya desde en vida de Heredia, como hemos visto, comenzaron a enviar contra ella a corsarios y piratas.

Conocedor de todas estas circunstancias, el Rey Felipe II, en el año de 1.574 le dio a Cartagena el título de "Ciudad"; y, poco después, en ese mismo año, le concedió el derecho a usar en todos sus actos oficiales un escudo de armas, consistente en "dos leones rojos y levantados, que tengan una cruz en medio, asida con las manos y tan alta como los leones, hasta arriba, en campo dorado, y encima de la cruz, una corona entre las cabezas de dichos leones, con su timbre y follajes". No siendo esto aún suficiente, un año después le otorgó el título de "muy noble y muy leal", como premio a los moradores de la ciudad, que tan bien le servían.

Corsarios y piratas

Las potencias rivales de España, principalmente Francia e Inglaterra, no ignoraban lo que venía sucediendo en el Nuevo Mundo, y así, envidiosas del enriquecimiento logrado por aquella con el saqueo de las Indias, y no pudiendo hacerlo ellas directamente, decidieron participar en el enorme botín por el sistema de autorizar la piratería en los mares, sobre todo en el Caribe, cuando no de enviar, abierta o disimuladamente, expediciones corsarias que asaltaban y saqueaban de modo inmisericorde las colonias todavía débiles fundadas por España. Cartagena fue una de las víctimas preferidas. A continuación haremos una breve síntesis de estos episodios.

Roberto Baal

Sobre la agresión de este pirata contra Cartagena, ya hemos hablado en páginas anteriores, pues aquella ocurrió en vida del propio fundador de la ciudad, D. Pedro de Heredia.

Martín Côte

Trece años más tarde, en el año de 1.559, otro pirata francés llamado Martín Côte, se vino sobre Cartagena con siete navíos grandes y más de mil hombres de desembarco. Pero esta vez los invasores encontraron alguna resistencia, pues aunque la ciudad carecía aún de murallas, su Gobernador, D. Juan de Bustos Villegas, secundado por el cacique Maridalo, señor de la isla de Carex (llamada hoy Tierrabomba) y por unos 500 indios flecheros sujetos a éste, construyó trincheras y sembró de púas envenenadas los lugares de desembarco. Côte pudo, no obstante, dominar la ciudad, de donde se llevó enorme botín. No se poseen, hasta ahora más datos documentados sobre este episodio.

John Hawkins

A los ataques de los piratas franceses sucedieron los de los ingleses. En julio de 1.568 y en forma aparentemente pacífica, fondeó en nuestra bahía una escuadra mandada por el célebre pirata inglés John Hawkins. Eran cuatro navíos grandes y siete pequeños. Hawkins quiso sorprender al Gobernador de la plaza, que entonces era D. Martín de las Alas, y le mandó una carta avisándole que traía esclavos y mercancías para la venta, solicitándole permiso para llevar adelante una feria comercial. Quería así desembarcar tranquilamente, y dar luego el golpe una vez dentro de la ciudad, como había hecho en otros puertos. Pero no cayó en el garlito el Gobernador de las Alas, quien negó el permiso solicitado y se aprestó a la defensa. Al cabo de ocho días de bloqueo y fuego, que la ciudad correspondía hábilmente moviendo sus escasos cañones de un sitio a otro para dar la impresión al enemigo de que poseía un armamento mayor, Hawkins levó anclas, jurando regresar posteriormente con más poder. Pero no pudo cumplir su amenaza.

Francis Drake

En cambio, algunos años después, este deseo lo realizó su pariente, el no menos famoso Francis Drake, quien acababa de ser ennoblecido con el título de Sir por la Reina Isabel de Inglaterra a raíz de la hazaña realizada por éste

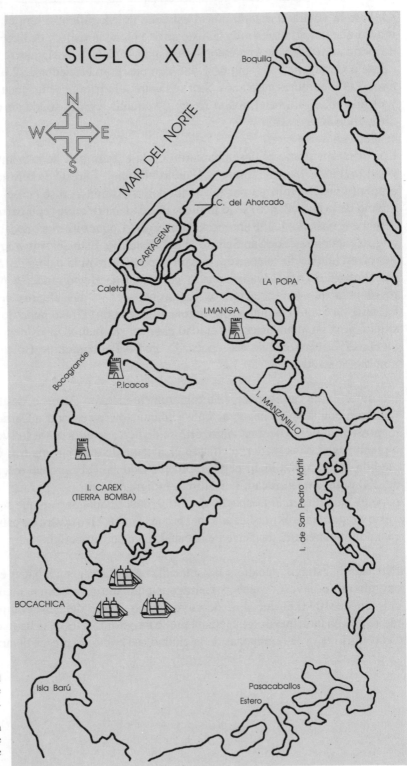

SIGLO XVI

Boquilla

MAR DEL NORTE

C. del Ahorcado

CARTAGENA

Caleta

LA POPA

I. MANGA

Bocagrande

P. Icacos

I. MANZANILLO

I. CAREX
(TIERRA BOMBA)

I. de San Pedro Mártir

BOCACHICA

Isla Barú

Pasacaballos

Estero

Proyecto general
defensivo de
B. Antonelli.

Tomado de la obra
"Las Fortificaciones de
Cartagena de Indias", de
Juan Manuel Zapatero.

dándole la vuelta al mundo por el estrecho de Magallanes, -era el segundo mortal que lo lograba en toda la historia de la humanidad-, y de haber pillado de modo inmisericorde a las colonias españolas del Pacífico. Drake se presentó frente a Cartagena en el año de 1.586 con una gran escuadra de 23 navíos y unos 3.000 hombres veteranos. Su flota entró a la bahía por la Boca Grande, y él mismo, en un batel, iba al frente de aquella, con la sonda en la mano, dirigiendo la operación.

Los primeros hombres desembarcaron en la extremidad de la península de Castillogrande, llamada entonces "Punta del Judío". El resto de la flota avanzó e intentó un desembarco por la "bahía de las Animas", o sea en el corazón mismo de la ciudad; pero se lo impidió una cadena flotante (con barriles) que cercaba el paso del fuerte entonces llamado del Boquerón, que quedaba donde hoy se encuentra el de San Sebastián del Pastelillo. Este desembarco se llevó a cabo en una noche tan oscura, que no se podía ver "ni la palma de la mano". Sin embargo, Drake avanzó por la península de Bocagrande, y pese a la resistencia que los cartageneros lograron hacer en las afueras del actual baluarte de Santo Domingo (que entonces no existía) Drake pudo dominar la situación y, ya al amanecer, la ciudad cayó en sus manos, pues desgraciadamente el Gobernador de esa época, D. Pedro Fernández de Busto, no era hombre de guerra.

Las autoridades cartageneras se refugiaron entonces en Turbaco, desde donde iniciaron una serie de negociaciones encaminadas a rescatar a Cartagena de manos del inglés. Mientras tanto, éste se dedicó a atemorizar a los vecinos y a presionar al Gobernador, mediante el sistema de quemar una tras otra, y a medida que se aproximaba el plazo por él fijado para el pago del rescate, más de 200 casas de la ciudad. Por último, indignado y furioso porque entre los papeles hallados en el Despacho del Gobernador había uno en que se le daba a éste aviso de la próxima llegada "del pirata" Drake, hizo destruir a cañonazos, casi completamente, una nave de la catedral en construcción.

Este último estrago, decidió a las autoridades de Cartagena a pagar el precio exigido por el invasor inglés, y Cartagena pudo al fin rescatarse mediante la entrega de 107.000 ducados, de cuyo recibo Drake dejó un comprobante redactado en latín que desgraciadamente se ha perdido. Drake se llevó también todas las joyas y las campanas de la ciudad, así como 80 piezas de artillería.

PRIMERAS CONSTRUCCIONES MILITARES SIGLO XVII

El proceso de edificación de las defensas militares de Cartagena es complejo y puede decirse que copa la totalidad de su vida colonial, pues esta actividad no vino a cesar, como veremos, sino prácticamente, con el advenimiento de la revolución de Independencia. Efectivamente, desde el primer momento, aún en vida de Heredia, las autoridades coloniales se dieron cuenta de la necesidad de construir fortificaciones que protegieran a la ciudad de las incursiones piráticas. Así surgió, ya desde el siglo XVI, el fuerte de "El Boquerón" que fue el primero que tuvo Cartagena, y que quedaba como hemos dicho, en el lugar donde hoy se encuentra el de San Sebastián del Pastelillo, en la isla de Manga. Como complemento, la ciudad construyó, para esa época, varias baterías que posteriormente desaparecieron: dos en la "punta de Icacos" (o sea, más o menos donde en nuestros días se halla el Hotel del Caribe); dos en lo que hoy es el baluarte de Santo Domingo; y dos en donde ahora están los baluartes de Santa Catalina y San Lucas, sobre El Cabrero.

Pero, no siendo suficientes aquellas defensas, que habían resultado incapaces de repeler los ataques de Côte y de Drake, la Corona española se dispuso entonces a iniciar la construcción de todo un complejo de fuertes, castillos y baluartes, cuyo plan original proyectó un célebre ingeniero italiano, al servicio de España, Bautista Antonelli, y que hicieron de Cartagena la plaza fuerte más importante del Imperio español en América. El lector podrá ver, en los mapas adjuntos, la forma impresionante como este proyecto tuvo cumplida ejecución, desde luego que con no pocos cambios, enmiendas y adiciones, aconsejados por la experiencia y por las variaciones en la capacidad ofensiva de la artillería a través de los años. Allí se puede observar cómo, en el siglo XVII, las entradas de la bahía fueron fortificadas con el primitivo castillo de San Luis de Bocachica (destruido posteriormente en 1741 por Vernon, y reemplazado por el actual de San Fernando) y con el castillo de San Matías, edificado sobre las baterías ya existentes en Bocagrande, el cual cruzaba fuegos, sobre esta vía de agua, aunque en forma imperfecta, con la ya desaparecida plataforma de Santángel, levantada en un extremo de la isla llamada entonces Carex y ahora Tierrabomba. Se observan también otros dos castillos, uno frente al otro, el de Santa Cruz de Castillogrande y el de Manzanillo, en la punta de esta última isla; aparecen además en la isla de Getsemaní el baluarte del Reducto, que cruza fuegos con el del Boquerón, y el baluarte de la Media Luna, que era la única salida hacia tierra firme que tenía la ciudad. Se ve así mismo

El Baluarte de Santo Domingo, con los de "La Cruz"- a la izquierda- y de "Santiago" - que lo complementan.

la mole original del Fuerte de San Lázaro, que luego se convertiría en el Castillo de San Felipe de Barajas, el cual fue ampliado y reforzado durante el siglo siguiente. Pero, sobre todo, destácase en ese mapa el cerco de piedra que ya rodea todo el núcleo central de la Plaza, antes de la expansión urbanística de Getsemaní, y en él se aprecian los principales baluartes que componían este sistema defensivo central, en donde las murallas propiamente dichas son secundarias, ya que su misión era simplemente la de unir entre sí, por medio de "cortinas", los veintitrés baluartes protectores de la ciudad. Cartagena, por eso, más que una plaza amurallada, fue una plaza "abaluartada". Se notará así mismo, que los baluartes más imponentes e importantes son los de Santo Domingo, por el Occidente, y Santa Catalina por el Norte, pues por esas estrechas penínsulas era por donde el peligro de invasión era mayor.

Sobra decir que a pesar de la mano de obra esclava en la edificación de este grandioso complejo castrense de Baluartes, Cortinas de Murallas, Plataformas, Fuertes y Castillos, la Corona española invirtió sumas inmensas que ni Cartagena ni el mismo Nuevo Reino de Granada pudieron por sí solos sufragar, por lo que fue necesario que tanto a su construcción como a su mantenimiento hubieran de contribuir otras provincias más ricas del Imperio, como México, Quito y el Perú. Estos gastos enormes fueron los que dieron pie a la leyenda de que en cierta ocasión el Rey de España se asomara a una ventana de su palacio, con el irónico pretexto de ver si desde allí se alcanzaban a ver aquellas fortificaciones que tanto dinero costaban al Tesoro Real.

Famosos ingenieros militares

Creemos de justicia recordar aquí los nombres de los principales ingenieros militares que concibieron y dirigieron la construcción de las fortalezas en el siglo XVII. Fueron, en orden cronológico, los siguientes:

BAUTISTA ANTONELLI. Italiano, entró al servicio de Felipe II en 1570 y vino a Cartagena poco después del asalto y toma de la ciudad por Drake. A él se debe, como dijimos, el primer plan general de fortificación de la ciudad.

CRISTOBAL DE RODA: Sobrino de Antonelli, llegó a Cartagena en 1608 y murió aquí en 1631. Obras principales suyas fueron el baluarte de Santo Domingo, la primera "muralla de la Marina" y el castillo de Santa Cruz de Castillogrande.

FRANCISCO DE MURGA. Nombrado Gobernador de Cartagena en la primera mitad del siglo XVII, Murga impulsó con entusiasmo las fortificaciones de la ciudad y a su celo se deben, principalmente la construcción de "El Reducto" y la Puerta de Tierra de la Media Luna, lo mismo que la Muralla "de 24 pies de alta" que los une.

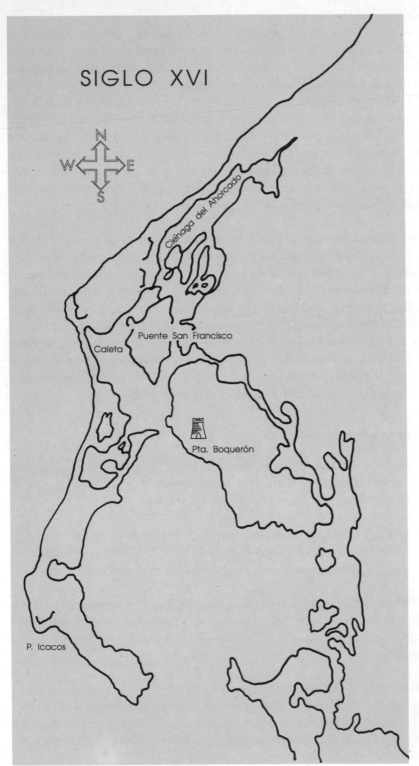

SIGLO XVI

Ciénaga del Ahorcado

Puente San Francisco

Caleta

Pta. Boquerón

P. Icacos

Defensa de Cartagena de
Indias ante el ataque de
Drake, 1586

Tomado de la obra
"Las Fortificaciones de
Cartagena de Indias", de
Juan Manuel Zapatero.

JUAN BAUTISTA ANTONELLI o "Antonelli el Mozo". Sobrino de Bautista Antonelli y primo de Roda, su obra principal fue el diseño y construcción parcial de los grandes baluartes de Santa Catalina y San Lucas.

RICARDO CARR. Ingeniero militar holandés, al servicio de España, diseñó lo que constituyó "el bonete" o parte superior y primitiva del Castillo de San Felipe de Barajas. Aunque el proyecto venía de atrás, esta fortaleza se construyó por insistencia y obra del Gobernador Don Pedro Zapata de Mendoza, cuyo padre era Conde de Barajas, origen de ese nombre.

JUAN DE SOMOVILLA Y TEJADA. Llegó a Cartagena en 1624 para que completase su formación al lado de Roda. Fue segundo de "Antonelli el Mozo". Proyectó el Castillo de San Luis de Bocachica.

EL SANTO OFICIO DE LA INQUISICION

El Santo Oficio de la Inquisición fue establecido en Cartagena por el Rey Felipe III en el año de 1610. Los primeros inquisidores se llamaron D. Mateo de Salcedo, eclesiástico, y D. Juan de Mañozca, seglar.

Carácter general del Santo Oficio

Era la Inquisición un Tribunal de carácter religioso, dependiente de la Santa Sede, que existía desde la Edad Media (1223) en todas las naciones cristianas de Europa. Su objeto principal fue, paradójicamente, el de proteger a los herejes, poniéndolos en manos de jueces especializados, y evitando así que fueran perseguidos indiscriminadamente, hasta darles muerte, por la furia del pueblo. Esto, obviamente, se prestó luego para muchísimos abusos e iniquidades; pero mucho más en España, en donde los Reyes Católicos, desde 1483, hicieron de aquella institución un instrumento propio, y prácticamente independiente de Roma, destinado, no ya solamente a la depuracion religiosa en sus dominios, sino al afianzamiento de la política interna y exterior del Estado Español. Proporciones y épocas salvadas, la Inquisición representó para España el papel que hoy tienen ciertas agencias de espionaje y de policía secreta entre las grandes potencias. No obstante, y contra lo que generalmente se cree, sus métodos de investigación y proceso judicial, no fueron únicos, ni originales, sino los mismos de la justicia ordinaria de su tiempo: el secreto, la duplicidad de funciones en los jueces, que a la vez instruían el sumario y sentenciaban a los reos; y, en fin, el tormento, que la mentalidad de la época consideraba como un método judicial respetable y científico para la inquisición de la verdad: sólo que el Santo Oficio llevó a estos sistemas a un grado de refinamiento y crueldad que lindaba con la perversidad. En Cartagena los tormentos utilizados fueron "el cordel", en el que se apretaban con cordeles los brazos y las piernas de los acusados, y el "jarro de agua", que consistía en obligar al reo a ingurgitar agua a través de un embudo. Por ambos métodos se trataba de arrancar la confesión.

La Inquisición en Cartagena

Por la naturaleza de sus funciones, y más temida que respetada, la Inquisición en Cartagena fue un organismo de vasta influencia en la vida social, religiosa y política local, pero, al mismo tiempo, un semillero de conflictos de todo orden y no sólo con las autoridades civiles, sino también con las eclesiásticas, pues los Inquisidores, poseídos de la tremenda potestad de que estaban investidos, no vacilaban en hacer pesar su autoridad, con frecuencia arbitraria, sobre todos, y aun por los más fútiles motivos, llegando en ocasiones a cometer crímenes horrendos, so pretexto de salvaguardiar la fe. Sin embargo, tampoco puede admitirse la tesis generalizada en los tiempos modernos de que todos los Inquisidores fueron perversos y criminales, como lo pretende la Leyenda Negra. Antes bien, buena parte de ellos, aunque fanáticos, fueron hombres de recta conciencia y buenas costumbres, que creían sinceramente estar cumpliendo un deber sagrado; y, así, su severidad e incluso su crueldad, no pueden siempre imputarse a ánimo maligno, sino a una noción errónea del cumplimiento de lo que creían un deber de conciencia.

Autos de Fe

Durante su actuación en nuestro medio, que duró en total 207 años, el Santo Oficio celebró 12 Autos de Fe generales, que eran ceremonias solemnísimas que se cumplían en la plaza pública, en las que se reconciliaba o se proclamaba la condenación de los reos; y 38 Autillos particulares, llevados a cabo en el recinto cerrado de las Iglesias, principalmente de la de Santo Domingo. En ellos fueron penitenciadas 767 personas, de las cuales sólo 5 fueron entregadas al gobierno civil, o, como se decía en el lenguaje inquisitorial, "relajadas al brazo secular", para que éste, primero, les diera muerte por medio del garrote vil; y luego los quemase en la hoguera, cuyas llamas eran consideradas como purificadoras.

Delitos y castigos

Los delitos generalmente perseguidos y castigados por nuestra Inquisición fueron: ante todo, la herejía, en términos generales, y, en especial, la secta anglicana y protestante que era la profesada por los enemigos de España, con lo que se confundía así la religión con los intereses internacionales del Imperio; y, asimismo, la ley mosaica y la religión mahometana. Luego estaban: la blasfemia, la bigamia, la solicitación y otros delitos menores, pero, sobre todo, la brujería, que fue práctica muy generalizada en la Cartagena del siglo XVII, en todas las capas sociales. A su vez, los castigos con que estos delitos eran sancionados iban, desde la imposición, por años y hasta de por vida, del célebre "sambenito", que era una vestidura especial, con señales identificadoras, hasta la pena capital, pasando por los azotes, la cárcel y el remo en galeras.

El edificio

Durante más de un siglo, la Inquisición cartagenera funcionó en varias casas alquiladas, situadas en los costados Norte y Occidental de la Plaza Mayor;

Un Auto de Fe del Santo Oficio de la Inquisición.

pero en el siglo XVIII acometió la construcción, en ese mismo sitio, del bello y vasto edificio que aún subsiste, el cual fue terminado en 1770, y que por sí solo da una idea de la importancia que el Santo Oficio tuvo entre nosotros. En sus últimos tiempos, sin embargo, la Inquisición perdió su primitivo empuje, y fue poco a poco convirtiéndose en un gran aparato burocrático que se limitaba a actividades menores de espionaje, a confiscar libros prohibidos y a la persecución, con el pretexto real o supuesto de que eran judíos, o judaizantes, de ricos comerciantes a quienes a veces, no se les podían sancionar de otro modo sus actividades como contrabandistas. Y de eso vivía la ya anquilosada Inquisición.

Fue suprimida a raíz de la revolución del 11 de Noviembre de 1811, restaurada por el pacificador D. Pablo Morillo en 1816, y finalmente liquidada a partir de 1821, cuando Cartagena fue liberada por las fuerzas patriotas. El edificio fue adjudicado por la Junta Nacional de Repartimientos y en pago de servicios, al General Juan Manuel Arrubla, y de mano de éste pasó durante más de un siglo a manos de particulares, hasta que fue readquirido por la Nación en el año de 1950.

GOBERNADORES CELEBRES DE CARTAGENA EN EL SIGLO XVII

Muchos, y algunos de gran prosapia, fueron los gobernadores que rigieron a Cartagena después de la muerte de D. Pedro de Heredia. Entre ellos, mencionaremos a algunos que durante los siglos XVI y XVII sirvieron con desinterés a la ciudad y promovieron con entusiasmo sus construcciones civiles, religiosas y militares.

D. Pedro Fernández de Bustos y D. Pedro Zapata de Mendoza

Uno de ellos fue D. Pedro Fernández de Bustos, funcionario tan acucioso, que él mismo, con su esposa, solían recorrer las calles de la ciudad "pidiendo limosna" para construir algunos edificios religiosos y obras pías. Otro fue D. Pedro de Acuña, en cuyo gobierno se levantó uno de los primeros planos que se conservan de Cartagena. Pero sobre todo, se recuerda a D. Pedro Zapata de Mendoza, quien ocupó en dos ocasiones la Gobernación de Cartagena, y a cuyos esfuerzos de hombre patriota y progresista debió la ciudad dos de sus principales obras: El Canal del Dique y el Castillo de San Felipe de Barajas.

Sin duda, Cartagena era un gran puerto marítimo, pero le faltaba una comunicación fácil con el Río Magdalena, que era la arteria vital del Nuevo Reino de Granada. Originalmente, los pasajeros y las mercancías se transportaban a lomo de mula, por la vía de Turbaco y Mahates, hasta un poblado llamado Barranca del Rey en las laderas del río a poca distancia del lugar donde hoy se halla la población de Calamar. Pero este transporte era costoso. Lo que hizo D. Pedro Zapata de Mendoza fue unir, a pico y pala y con mano de obra esclava, las ciénagas escalonadas que existían en esa comarca, con el cauce por donde probablemente en siglos anteriores desembocaba el Magdalena, para hacerlas navegables hasta desembocar en la bahía de Barbacoas. Estos trabajos quedaron concluidos en el año de 1651, cuando los bongos y champanes del río Magdalena pudieron llegar directamente a la bahía de Cartagena. El Canal del Dique, llamado así por un Dique con que originalmente se represaban sus aguas a la altura de Mahates, tiene hoy 114 kilómetros de largo y es considerado como la obra de ingeniería hidráulica más importante realizada por el gobierno colonial en las Indias.

El Castillo de San Felipe de Barajas

Fue esta otra de las obras grandiosas que llevó a cabo durante su gobierno el señor Zapata de Mendoza. La idea de acorazar el cerro de San Lázaro con piedra y mortero para convertirlo en una gran fortaleza, venía haciendo camino desde la toma de Cartagena por Drake. Pero no fue sino a mediados del siglo XVII cuando D. Pedro Zapata inició las obras originales, para lo cual donó su sueldo de Gobernador. Los planos fueron hechos por el ingeniero holandés Ricardo Carr. Sin embargo, no quedó el Castillo tal como hoy lo conocemos, pues entonces no se contruyó sino su parte más alta. Era una fortificación que constaba, como puede observarse todavía, de una gran plaza de armas, un aljibe que podía acumular 72.000 raciones de agua, habitación abovedada para el castellano, cuartel, tendales, hospital de primera sangre, garitas esquineras y un "caballero" o torre del homenaje. Posteriormente el Castillo fue reformado, como veremos más adelante, y ampliado en forma sustantiva, dándole la forma que tiene todavía.

LA VIDA SOCIAL Y RELIGIOSA EN EL SIGLO XVII

La Diócesis de Cartagena fue erigida cuando apenas la ciudad tenía un año de fundada, en 1534, y su primer Obispo fue el dominico Fray Tomás de Toro y Cabero, quien, en su calidad de "protector de los Indios", de que venía revestido, pronto entró en conflicto con Heredia y sus socios. Muerto aquel, según se dijo, en "olor de santidad", le sucedió Fray Jerónimo de Loayza, menos estricto, pero muy efectivo en la obra de evangelización que, de una vez, la católica España empezó a cumplir en los nuevos reinos y tierras que la Providencia se había dignado brindarle la ocasión de ganar. Ya con el propio Heredia, habían llegado varios frailes, y, a uno de ellos, el franciscano Fray Clemente Mariana, le tocó la suerte de celebrar la primera misa en tierras cartageneras. Posteriormente vinieron muchos misioneros, entre los que destaca nadie menos que San Luis Beltrán, quien permaneció cuatro años en Cartagena, donde se distinguió por su celo y virtudes. Después, la obra catequizadora de la Iglesia se fue cumpliendo poco a poco, aunque con dificultades, hasta que con el decurso de los años, los aborígenes perdieron hasta el más remoto recuerdo de sus divinidades bárbaras y de sus cultos ancestrales, lo mismo que ocurrió también con su lengua nativa.

La ciudad de Cartagena, entre tanto, afirmaba su fe y levantaba santuarios como demostración de su fervor religioso. Desde 1538 se comenzó la edificación de la primitiva catedral, que más tarde fue reemplazada por la actual, con planos del Maestro Simón González, cuya construcción se empezó en el año de 1575; en 1555, empezó a levantarse la Iglesia de San Francisco; en 1559 se inició la de Santo Domingo; luego siguieron: en 1580 la de San Ignacio, (hoy San Pedro Claver, reedificada en el siglo XVIII); en 1608 la de San Diego, en 1606 la de la Veracruz; en 1609 la de Santa Teresa de Jesús y la de Nuestra Señora de la Candelaria, junto con el Monasterio de la Popa; en 1618 la de Santa Clara; en 1619 la de Nuestra Señora de la Merced; entre 1643 y 1644 la de la Trinidad; en 1653, la Capilla de San Roque, y en 1665 se echaron los cimientos de Santo Toribio de Mogrovejo que fue concluida ya en el siglo XVIII. Todas estas Iglesias, menos la de la Veracruz y las tres últimas citadas, tuvieron y aún tienen, aunque dedicados a otros menesteres, sus respectivos conventos, algunos de ellos de proporciones monumentales.

Además de estas edificaciones, la ciudad levantó, en aquellos mismos años, tres hospitales a saber: el de San Sebastián, en el Centro, el de Convalecientes en Getsemaní, y el de "incurables" o de San Lázaro, frente al cerro que por eso fue llamado así en las afueras de la ciudad donde después se erigió el Castillo de San Felipe. Todo lo cual da una idea de la riqueza económica y de la febril actividad constructora de los cartageneros en aquel siglo XVII.

La fe profunda que los hombres de aquella época profesaban, como la de todos los españoles peninsulares o criollos de entonces, hizo que la vida social de Cartagena se organizara, primordialmente, alrededor y con ocasión del culto religioso, el cual venía a ser así, y aparte de esporádicas celebraciones de carácter civil o militar, el eje de todas las actividades familiares: bautizos, bodas, entierros, misas, devociones piadosas varias, procesiones, autos de fe inquisitoriales y grandes fiestas del calendario eclesiástico, eran la oportunidad principal para que los vecinos de la ciudad se reunieran y entraran en contacto unos con otros, especialmente las mujeres de la clase alta, que vivían prácticamente en semi-reclusión, confinadas al hogar, de donde ordinariamente no salían sino muy de madrugada, a la misa.

Pero, desde luego, los capítulos descollantes de la vida religiosa de Cartagena en el siglo XVII fueron en primer lugar, el establecimiento del Santo Oficio de la Inquisición de que ya se habló, y luego, la extraordinaria obra evangelizadora llevada a cabo entre sus muros por el sacerdote jesuita Pedro Claver a quien la Iglesia elevó posteriormente a los altares, y al que nos referiremos más adelante.

El Cessatio a Divinis

Los temas religiosos eran también, objeto de permanente preocupación y tal vez los únicos de importancia que, cuando no había guerras, agitaban la vida social. Y tanto, que en ocasiones no faltaron en la ciudad de Heredia episodios en los que a falta de mayor ocupación o distracción, los cartageneros, en bandos irreconciliables, se acometieron unos a otros en forma violenta. Tal ocurrió, por ejemplo, cuando por cuestiones de carácter religioso, y tal vez económicos en el fondo, sucedieron los deplorables episodios del "Cessatio a Divinis", llamados más breve y comúnmente "El Cessatio", que conmocionaron a la muy noble y leal ciudad durante una década completa, y en cuyo desarrollo, a causa de una querella planteada originalmente entre las monjas clarisas y los frailes franciscanos, a quienes aquellas rechazaban como administradores de sus bienes y como directores espirituales, los cartageneros se dividieron en dos partidos, dando lugar luego a una pugna violenta entre el Obispo de la Diócesis, don Miguel Antonio Benavides y Piédrola, que apoyaba a las monjas, y el Gobernador don Rafael Capsir y Sanz, quien se puso del lado de los franciscanos. Esta disputa, que tuvo complicaciones de tipo teológico y social, provocó algunos derramamientos de sangre y, sobre todo, no pocos desórdenes callejeros, entre los cuales un escandaloso asedio de seis

El Sambenito, hábito infamante que la Inquisición imponía y
obligaba a llevar a algunos condenados.

meses puesto al Convento de las Clarisas, que estas monjas resistieron heroicamente; y otro a la catedral, donde el Gobernador terminó entrando a mano armada con sus soldados, para apoderarse de unos clérigos que el Obispo tenía a buen recaudo en la torre de aquel templo primado. El Prelado se vio finalmente obligado a abandonar su Sede para viajar a España en busca de justicia para su causa. Y la obtuvo, pero tarde, pues falleció cuando se preparaba a regresar a Cartagena.

LA TRATA DE NEGROS EN CARTAGENA

Desde los primeros días de su fundación, ya hubo esclavos negros en Cartagena. D. Pedro de Heredia, autorizado expresamente para ello en sus "Capitulaciones" con la Corona, trajo algunos, que durante sus expediciones conquistadoras hacían oficio de vanguardia, como macheteros, abriendo camino entre los montes. Más tarde, fueron utilizados para la excavación de los sepulcros sinuanos, y para la construcción de los primeros edificios de la ciudad.

De allí en adelante, la práctica se generalizó, y sucesivamente, se fueron dando autorizaciones para traer negros esclavos como mano de obra para la construcción de los edificios y fortalezas de la plaza, así como para el cultivo de las estancias y haciendas cercanas.

El asiento portugués

Sucedió algo más: a raíz de la prohibición de esclavizar indígenas decretada por la Corona, en todo el Nuevo Mundo se estableció la trata de negros africanos, los cuales eran traídos principalmente desde las remotas posesiones portuguesas del Africa ecuatorial. Este infame comercio se hacía mediante contratos llamados "Asientos" por los cuales la Corona española concedía a ciertas empresas o personas el privilegio de traer e introducir esclavos a sus dominios indianos. En el curso de los siglos, de aquel monopolio disfrutaron, sucesivamente, diversos tratantes y compañías: unas, portuguesas, y otras francesas o inglesas, incluso una española. Pero fue durante el siglo XVII, o sea, durante el llamado "Asiento portugués", cuya beneficiaria fue la llamada "Real Compañía de Portugal", o también "Compañía de Cacheu" (nombre este último de un puerto en el Africa Occidental) cuando Cartagena se convirtió en el único puerto habilitado en todo el Caribe central (junto con Veracruz en el Golfo de México) para la introducción de esclavos, y en el más grande mercado negrero del Nuevo Mundo. Desde Cartagena, los "factores" o agentes de la Compañía portuguesa distribuían sus cargamentos humanos hacia Venezuela, las Antillas, el nuevo Reino de Granada y, sobre todo el Perú, que era donde más demanda había, para el laboreo de sus minas.

La feria de negros

A Cartagena llegaban, pues, los barcos negreros conocidos con el nombre de "tumbeiros" o "ataúdes". Traían, cada uno, entre dos y trescientos esclavos, que llegaban en las más deplorables condiciones, después de largos meses de navegación en condiciones atroces. Los asentistas procedían entonces a marcarlos, como animales, con la marquilla real en el pecho o seno izquierdo, en señal de haber pagado el impuesto de Aduanas; y con la de la Compañía, por la espalda, en el omoplato derecho. Después eran vendidos en la llamada "feria de negros".

Trapacerías, corrupción y crueldad

Este negocio o "trata de negros", aparte de cruel e inhumano, daba lugar a numerosas corruptelas y vicios, pues aquellos negociantes sin escrúpulos no vacilaban en acudir a todo género de engaños y trapacerías, incluyendo el soborno a las autoridades, no sólo para introducir más esclavos de los que les estaba permitido, sino para hacerlo sin pagar impuestos, y, sobre todo, para descargar al propio tiempo grandes cantidades de mercancías de contrabando, so pretexto de que eran necesarias para el mantenimiento y vestuario de los cautivos, a quienes en realidad tenían prácticamente desnudos, y alimentados pobrísimamente, a base de cazabe.

Fue en medio de este ambiente viciado por la corrupción y la crueldad, donde aparecieron, en la primera mitad del siglo XVII, dos misioneros jesuitas, los padres Alonso de Sandoval y Pedro Claver, quienes dedicaron heroicamente su vida a adulciguar, en cuanto les fue posible, la suerte de los infelices esclavos, y a catequizarlos en forma por lo menos elemental, para luego derramar sobre ellos las aguas del bautismo cristiano. Hablaremos de ellos en seguida.

El Padre Alonso de Sandoval

El padre Alonso de Sandoval era andaluz, pero se había criado en Lima, donde conoció las miserias de la esclavitud negra, por lo cual decidió venirse a Cartagena, lo que hizo en un largo viaje a pie, para dedicarse aquí a misionar entre los esclavos, labor a la que estuvo entregado durante toda su vida, hasta su muerte en 1651, con tenacidad ejemplar.

Pero no sólo esto. El Padre Sandoval era también un intelectual, un erudito y un gran observador, como lo demostró brillantemente con su libro titulado De Instauranda Aethiopum Salute (De la salvación de los Negros) donde hace una minuciosa descripción de las diferentes razas o castas de negros traídos desde muy distintas partes de Africa, sus costumbres, ritos, lenguas y maneras de reconocerlos y distinguirlos entre sí; y luego traza un método práctico para su evangelización y civilización. Termina protestando ante el mundo contra el sistema esclavista vigente en aquella época.

El Padre Alonso de Sandoval vino a ser así, en aquella época lejana, como el precursor de la libertad de los esclavos negros, y no sólo en lo que hoy es Colombia, sino tal vez en el mundo, que entonces admitía la esclavitud como la cosa más natural.

San Pedro Claver

El sacerdote jesuita Pedro Claver y Corberó nació en la población catalana de Verdú, en España, en el año de 1580. Desde muy joven, cuando estudiaba como seminarista en el Colegio de Montesión en Palma de Mallorca, sintió ya el deseo vehemente de dedicarse a la evangelización de los negros que desde Africa eran llevados como esclavos a las playas del Nuevo Mundo. Y así, en 1610, cumplió su deseo, trasladándose a Cartagena, que, como hemos visto, era el gran mercado negrero de aquella época, y en donde (luego de una breve residencia en Santa Fe y en Tunja), vino a ordenarse como sacerdote en 1614, con el voto, que dejó firmado, de convertirse en "esclavo de los esclavos negros". "Petrus Claver, Aethiopum Semper Servus".

Así lo cumplió. En abnegado y heroico apostolado que duró tanto como su propia vida, Pedro Claver, rodeado de un interesante equipo de intérpretes, nativos de Africa misma, y con la sola ayuda del Padre Sandoval, de quien aprendió el método para misionar, y del Hermano Nicolás González que era su segundo, llegó a constituirse en la única defensa y consuelo que tenían los desdichados esclavos a su llegada al puerto, donde eran considerados, no ya como hombres, y ni siquiera como animales, sino como simple "mercancía", y tasados como tales "por toneladas".

Entonces el padre Claver, que los esperaba desde su ventana conventual sobre el mar, bajaba a recibirlos en el muelle, les daba alimentos y bebidas, los atendía luego con infinita caridad en los corralones en donde eran confinados, los consolaba en su aflicción, los curaba, a veces con heroico esfuerzo, en sus enfermedades, sobre todo las llagas y bubas con que venían plagados; y más tarde iba poco a poco enseñándoles la doctrina cristiana por intermedio de los traductores que había logrado poner a su servicio. Así los introducía a la vida civilizada.

Salidos de sus corralones y barracas, el santo varón seguía visitando y protegiendo a los que quedaban en Cartagena después de las ferias; y, en la medida de lo posible, los defendía de las crueldades y excesos de sus amos. Su mejor victoria en este campo la cobró cuando pudo lograr que el Gobernador Zapata prohibiese el trabajo de los esclavos en días domingos y feriados. Nadie en Cartagena, ni en el resto del mundo, salvo Pedro Claver, su colega el P. Sandoval, y algunas personas piadosas de Cartagena cuya conciencia pudo ser conmovida por éste, hicieron nada para aliviar la suerte y el sufrimiento de la raza oprimida. Aquello fue una pequeña, pero meritoria y memorable contrapartida a la brutalidad de la esclavitud.

El Padre Pedro Claver murió en Cartagena en el año de 1654, en olor de santidad, pues además de gran misionero, era un asceta y un místico. Poco después, a solicitud del propio Cabildo de Cartagena y del Gobernador Zapata de Mendoza, se inició el proceso de su beatificación, el cual culminó en 1888, cuando Su Santidad León XIII lo canonizó y elevó a los altares.

Sus restos son conservados piadosamente en la parte inferior del altar mayor de la iglesia dedicada en su honor, que antes llevó sucesivamente los nombres de San Ignacio y de San Juan de Dios, y hoy lleva el suyo.

LA GUERRA DE LOS CIMARRONES

Desde los primeros tiempos de la esclavitud negra en Cartagena, ya las autoridades tuvieron que legislar tratando con ello de impedir que los esclavos se escaparan de su cautiverio, como venían haciéndolo, para refugiarse en los montes o "arcabucos", donde vivían vida salvaje, pero libre. Eran los llamados "cimarrones". Así, en 1594, una Cédula Real se ocupó ya de la materia, pero con cierta benignidad, y estableció que a los negros cimarrones "en volviendo, se les perdonará".

Fuga de esclavos

Sin embargo, los "cimarrones" no regresaban, y el Cabildo de Cartagena tomó entonces medidas draconianas para reprimir las fugas, y por disposiciones varias de fines del siglo XVI, se ordenó dar 50 azotes al esclavo hallado en la calle "después de la queda", y se les prohibió portar armas, venderles vino, etc. El Cabildo legisló también sobre los negros ya huidos o alzados, ordenando a sus propietarios que los denunciaran, para poder llevar un registro de aquellos; y que si un negro se ausentare, sin autorización, por cierto tiempo de la casa de su amo, fuera azotado en la picota, "puesto un pretal con cascabeles"; y si la ausencia fuere de un año o más, se le aplicara la pena de muerte.

Nada de esto logró plenamente su objetivo, y tanto los negros como sus mujeres, ansiosos de libertad, siguieron huyéndose, y estableciéndose en "palenques" o sitios reforzados y de difícil acceso; y, lo que era más preocupante, cometiendo toda clase de tropelías, pues no se contentaban con gozar de su libertad, sino que "salían de sus palenques para las estancias y pueblos de yndios, matando a cuantos españoles e yndios topavan, robando las haciendas y quemando las casas, y usando todo género de crueldades". Pero, especialmente, raptándose indias jóvenes, y aun mujeres blancas, "para su servicio y mal uso de ellas, en ofensa de Dios".

Primeras represiones

Esto dio lugar a que las autoridades cartageneras organizaran varias expediciones punitivas "para que los negros que en el presente ay cimarrones en el arcabuco sean presos y traídos a esta ciudad". Una de ellas fue la que dirigió el Gobernador D. Gerónimo de Suazo y Casasola en el año de 1602, al frente de 250 hombres, los cuales cayeron sobre la ciénaga de Matuna (en la zona del actual Canal del Dique) donde los esclavos tenían hecho un fuerte "de madera y faxina". Los negros, dirigidos entonces por un tal Domingo Bioho, pelearon valientemente, pero al fin tuvieron que desamparar el fuerte. Algunos fueron muertos.

El peligro de los cimarrones cedió un poco a causa de esta "entrada", pero no se extinguió. Los antiguos esclavos rehicieron su palenque, y a pesar de que el Gobernador volvió sobre ellos y los diezmó hasta el punto de que, según sus cuentas, no quedaron ya sino 18, terminó por concederles una especie de armisticio por un año, el cual hubo de prolongarse por muchos más.

Otros Gobernadores, sucesores de D. Gerónimo, como D. García Girón de Loayza, D. Francisco de Murga, y el mismo D. Pedro Zapata de Mendoza (tan dignos de grata recordación por otros aspectos) adelantaron también expediciones punitivas sobre los palenques que ya habían proliferado alrededor de Cartagena, pero con resultados mediocres, salvo en el caso de D. García Girón, quien se apuntó el éxito de la muerte de Domingo Bioho, el cual se había atrevido a acercarse tanto a Cartagena, y aun atacar a la guardia del presidio, que ello facilitó su captura y ajusticiamiento en la horca.

Proliferación de los Palenques

Después de la Gobernación de D. Pedro Zapata de Mendoza, quien se limitó a la debelación de un palenque al que llamó "de la otra banda del río de la Magdalena", sobrevino una época de interinidad en el gobierno de Cartagena, y esto dio pábulo a las repetidas fugas de esclavos, y a la proliferación de los palenques, de los cuales había ya muchos -San Miguel, Tabacal, Duanga, Bongué, Matuderé o Matubre-, cuando llegó D. Juan Pando de Estrada como Gobernador en propiedad de Cartagena. Era el año de 1683, y preocupado con aquella situación, el nuevo mandatario resolvió "castigar el atrevimiento de los negros", para lo cual organizó una "entrada" con 300 hombres, cuyos gastos fueron pagados a escote entre los propietarios de esclavos de la provincia, y a proporción del número de éstos; pero esta expedición tampoco alcanzó éxito definitivo.

Don Baltasar de la Fuente, precursor de la libertad de los esclavos

Mientras tanto, sucedió que el Cura de Turbaco, D. Baltasar de la Fuente, quien había estado en contacto con un nuevo "Rey" de los palenques llamado Domingo Criollo, y sabía que éste se hallaba dispuesto a aceptar autoridades españolas y cura católico, pero a condición de que se le respetara su libertad, se fue a España y elevó memorial directamente al Monarca, haciéndole ver cómo aquellos negros cimarrones eran "vasallos que se perdían para el rey", y almas "que se perdían para Dios". Entonces, D. Carlos II, hombre por lo que se ve, escrupuloso y sensible en medio de su cretinismo físico, cedió a los imperativos de la justicia, y expidió una Cédula Real ordenando el reconocimiento por las autoridades de Cartagena de la libertad de los cimarrones, visto que aquellas habían sido incapaces de reducirlos durante tantos años; pero a condición de que los beneficiarios de aquella medida "detestaran de sus idolatrías".

Ahora bien: esta inesperada orden real produjo gran sensación, una vez conocida por las autoridades cartageneras y por los propietarios de esclavos que, amenazados en sus intereses, juzgaron que aquel indulto, en vez de remediar las cosas propiciaría aún más las fugas, y llegaron incluso a temer una sublevación general de aquellos en combinación con sus congéneres cimarrones.

Las entradas de D. Martín de Cevallos y de D. Sancho Ximeno

Para dar mate a esta situación y demostrar al Rey que no era cierto cuanto el Cura de la Fuente había informado "con siniestra intención", y que las autoridades cartageneras sí eran capaces de extinguir el foco de los cimarrones, un nuevo Gobernador, D. Martín de Cevallos y de la Cerda, organizó en 1693, otra "entrada" más, durante la cual atacó al palenque de Matuderé, donde mató a muchos, libertó a las mujeres blancas que los negros tenían secuestradas, y trajo a Cartagena 119 cimarrones, de los cuales hizo ahorcar a dos, con todo lo cual, le informó luego D. Martín al Rey, "han respirado los pueblos y vasallos".

El Cura de la Fuente, mientras tanto, se vio obligado a refugiarse, dándose por preso en la torre de la Catedral, para huir de sus malquerientes. Pero no pudo, con todo, acabar el Gobernador Cevallos con los palenques, a donde seguían fluyendo esclavos fugitivos.

Esto dio lugar a que, muerto de misteriosa enfermedad dicho Gobernador a su regreso de la "entrada" contra Matuderé, y encargado del mando el castellano de Bocachica D. Sancho Ximeno, quien era, ante todo, un militar de profesión, se organizara enseguida, y bajo su personal dirección, una expedición de 450 hombres "con banguardia, cuerpo de batalla, retaguardia y dos mangas de arcabuceros por los costados, que batían el camino y cubrían la marcha", vale decir: un ejército en debida forma, dirigido contra los palenques que ya se extendían desde la región de Tenerife, en el río Magdalena, hasta Norosí, al Sur de Mompox, y, desde luego, en toda la extensión de la Sierra de María.

D. Sancho salió de Cartagena el 14 de febrero de 1694 y después de debelar con crueldad implacable los palenques de San Miguel (cerca de Tenerife, donde cayó al fin Domingo Criollo) y los de Tabacal, Matuna, Bongué, Arenal y Duanga, donde hizo una verdadera "razzia", regresó a Cartagena triunfante, llevando consigo "nobenta y dos piezas entre grandes y chicas", además de las cabezas de 43 negros muertos en campaña; y por esta obra que, según le escribió después al Rey "era tan del agrado de Dios y del servicio de V.M.", se cantó luego un Te Deum en la Catedral.

El Palenque de San Basilio

Pero, pese a todo lo anterior, ni D. Sancho Ximeno, ni ningún otro Gobernador de los que le sucedieron, fueron capaces de impedir la fuga de esclavos en busca de libertad, ni de erradicar la totalidad de los palenques. Todavía en el siglo XVIII subsistía, por lo menos uno, cerca de Mahates, escondido en las estribaciones de la sierra, con cuyos moradores un Obispo de Cartagena, el señor Cassiani, celebró en 1713 una especie de avenimiento o "modus vivendi" que equivalía, prácticamente, al reconocimiento de su libertad. Ese palenque vivió así libre hasta la llegada de la Independencia, cuando cesó la esclavitud en Colombia, y es el que se conoce con el nombre, que se ha hecho famoso, de "el Palenque de San Basilio", o, más simplemente, "Palenque".

ATAQUE Y TOMA DE CARTAGENA POR EL BARON DE POINTIS

Los últimos años del siglo XVII estuvieron perturbados en España por la expectativa de la sucesión del Rey Carlos II "El Hechizado", último vástago de la dinastía austríaca de los Habsburgo, de quien se sospechaba, como así sucedió, que moriría sin hijos, motivo por el cual varias potencias, y Francia entre ellas, aspiraron a apoderarse de la corona española y por consecuencia de su imperio colonial; y hasta en la misma España se formaron partidos favorables a distintas dinastías y pretendientes al trono. Esto dio lugar a numerosas guerras preliminares que culminaron, por último, una vez muerto el Rey en 1700, con una guerra general, que vino a ser también guerra civil, pues que los españoles mismos estaban divididos al respecto, y en la que salió vencedora al fin Francia, coronando, con el nombre de Felipe V, a un biznieto de Luis XIV. Se inició así en España la dinastía francesa de los Borbones.

Entre las tácticas utilizadas por Francia, durante aquellas guerras, para presionar a España en favor de sus pretenciones dinásticas, estuvo la de atacar las plazas más importantes de su imperio colonial, mediante expediciones corsarias; y una de estas fue la que vino sobre Cartagena en el año de 1697 al mando del Almirante francés Jean Bernard Desjeans, Barón de Pointis, cuando regía los destinos de nuestra ciudad don Diego de los Ríos, gobernante no sólo incapaz, sino, posiblemente, secreto partidiario del pretendiente francés, como muchos otros funcionarios menores y no pocos oficiales de la guarnición militar. No de otro modo, y con la excepción del caso de don Sancho Ximeno, de que hablaremos más adelante, y de otros oficiales, puede explicarse su extraña conducta frente al corsario francés.

La expedición corsaria

Pointis llegó frente a Cartagena el 13 de abril del año arriba dicho, con una flota de 28 naves, armada con más de 500 cañones, y 4.000 hombres de desembarco, y desde el día siguiente, comenzó el bombardeo de la plaza. El 15 por la tarde, la escuadra se movió sobre Bocachica y, desplegada en forma de media luna, bloqueó enteramente la entrada del puerto, con lo que se inició de una vez, el desembarco en Tierrabomba de 1.700 soldados y 1.200 bucaneros. Estos últimos venían al mando del famoso pirata Juan B. Ducasse, y se habían unido a la expedición corsaria en las Antillas. Se trataba, primero que todo, de atacar el castillo de San Luis de Bocachica y reducirlo, cosa que no le fue difícil al francés, porque la guarnición de esta fortaleza había sido descuidada, y sólo contaba 68 hombres, la mayor parte bisoños, y muchos de ellos esclavos. Empero, el castellano de esa fortaleza, que era el célebre don Sancho Ximeno, se iba a defender allí en forma tan valerosa, que su nombre quedaría grabado para siempre en los fastos de nuestra historia.

La hazaña de don Sancho Ximeno en Bocachica

En efecto, D. Sancho, después de batirse heroicamente, y reducida ya su guarnición a sólo 30 hombres, todavía se negó a rendirse y a entregar el Castillo al corsario; y, antes bien, a los mensajeros de éste les respondió en forma altiva con una frase famosa, que ha hecho carrera: "Yo no puedo entregar lo que no es mío: ni me rindo ni pido cuartel". Pero, por desgracia, en aquellos momentos fue traicionado por la mayoría de sus subalternos, muchos de los cuales, siendo de color, no debían estar peleando muy a gusto al lado de D. Sancho, que tan cruelmente había reprimido a sus hermanos de raza hacía apenas pocos años, y se apresuraron, ellos sí, a pedir cuartel, solicitud que corroboraron arrojando sus armas al foso exterior del Castillo y abriendo la puerta de la fortaleza al Barón francés; el cual, admirado de la valentía con que D. Sancho se había batido contra un enemigo abrumadoramente superior, se quitó la espada que llevaba a la cintura, y entregándosela al Castellano de Bocachica, díjole: "No debe un caballero como vos estar desarmado". Este episodio, que convirtió a D. Sancho en un héroe, salvó al menos el honor de Cartagena, la cual, por desgracia, iba a caer pronto en manos de Pointis y de sus bucaneros.

Cae el Castillo de San Felipe

En efecto, dueños los franceses de Bocachica, fueron apoderándose después, uno por uno, de todos los otros Fuertes de la ciudad, incluso el Castillo de San Felipe, cuyos defensores, inexplicablemente, abandonaron sus puestos, o se batieron rápidamente en retirada, lo que refuerza la teoría de que procedían así tal vez por razones políticas. Conquistado San Felipe, los sitiadores cañonearon entonces intensamente la Puerta de la Media Luna, donde abrieron brecha, y se adueñaron del arrabal de Getsemaní después de una batalla sangrienta en la calle de la Media Luna, terminada la cual, enviaron a Ducasse ante el Gobernador de los Ríos, con una propuesta de capitulación. Esta propuesta fue aceptada bajo la presión de un motín popular, y el día 6 de abril, el inepto funcionario, seguido de sus tropas, y más de 3.000 vecinos que no quisieron jurar al rey francés, salió de la plaza que no había sabido defender cabalmente.

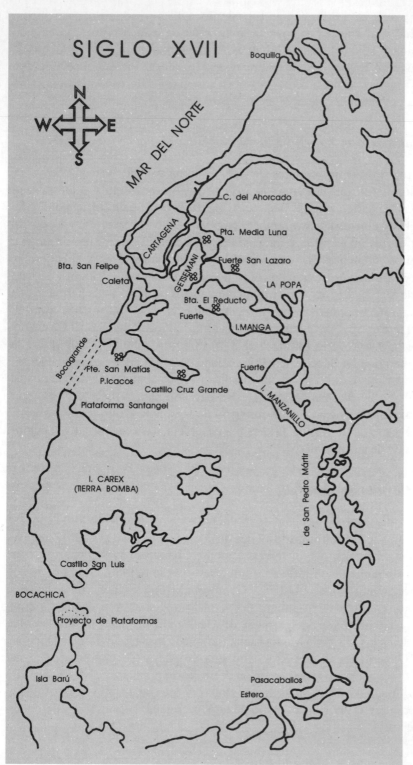

SIGLO XVII

MAR DEL NORTE

Boquilla

C. del Ahorcado

Pta. Media Luna

Fuerte San Lazaro

CARTAGENA

GETSEMANI

LA POPA

Bta. San Felipe

Caleta

Bta. El Reducto

Fuerte

I. MANGA

Bocagrande

Fte. San Matías

P. Icacos

Castillo Cruz Grande

Fuerte

I. MANZANILLO

Plataforma Santangel

I. de San Pedro Mártir

I. CAREX
(TIERRA BOMBA)

Castillo San Luis

BOCACHICA

Proyecto de Plataformas

Isla Barú

Pasacaballos

Estero

Tomado de la obra
"Las Fortificaciones de
Cartagena de Indias", de
Juan Manuel Zapatero.

Pointis se apodera de Cartagena

Entonces el Barón de Pointis, aunque herido en una pierna, entró a la ciudad en silla de manos, hizo celebrar un Te Deum en la Catedral, y permaneció casi un mes en Cartagena, donde, no obstante los términos de la capitulación, se apoderó de muchas alhajas religiosas, notablemente de un famoso sepulcro de plata labrada y maciza, con campanillas de oro, que pesaba ocho mil onzas y que se utilizaba en las ceremonias de Semana Santa. El Barón organizó, además, un saqueo metódico del comercio cartagenero, así como de todas las joyas y valores de los particulares, hasta reunir un enorme botín que, según propia confesión, valió "entre ocho y nueve millones de pesos oro". Finalmente, el francés, temeroso de las enfermedades tropicales, levó anclas el día 1º de junio de 1697, pero no sin antes hacer grandes destrozos en las fortalezas de que se había adueñado; y, procediendo en forma desleal, dejó a la ya indefensa ciudad en manos de los piratas de Ducasse, a quienes birló la parte del botín que les tenía ofrecido, y entonces éstos, libres de todo freno, volvieron a saquear por segunda vez y con sevicia a la ya arruinada población, y se llevaron así de ella otros dos millones de pesos. Tal hecho marca un baldón en la gloria que al Almirante francés le valió, en su país, la toma de Cartagena, y por ello fue posteriormente sometido a un proceso judicial.

En esta forma dramática concluyó el siglo XVII, tan lleno de peripecias para Cartagena, la cual no pudo ya nunca reponerse del golpe, e inició desde entonces la curva de una declinación que duraría más de dos siglos.

COSTUMBRES SOCIALES EN CARTAGENA COLONIAL EN EL SIGLO XVIII

¿Cómo vivían los cartageneros en la época colonial?

Para obtener una respuesta a esta pregunta, no necesitamos inventar, ni deducir nada, pues todo está dicho en la "Relación Histórica del Viaje a la América Meridional", una especie de informe oficial que rindieron al Rey dos científicos españoles, D. Antonio de Ulloa y D. Jorge Juan, con cuya visita se honró la ciudad en 1735.

Características generales de la ciudad

Según este testimonio, que es como una fotografía de la época, Cartagena era entonces una ciudad "como las de tercer orden en Europa" (que ya era decir algo) y sus calles les parecieron "derechas, anchas, con buena proporción y empedradas todas"; las casas eran "bien fabricadas, con Alto, en su mayor parte"; su vecindario estaba compuesto por "castas", y, aunque, por carecer de minas, "no es de las más ricas de las Indias", hay en ella, no obstante, "crecidos caudales", y, a proporción, los interiores de las casas son "muy decentes y aseados".

El gobierno colonial se componía, en aquellas calendas, por un gobernador, un cabildo secular, dos alcaldes, que actuaban conjuntamente y eran elegidos cada año de entre los mismos cabildantes; un obispo con su cabildo eclesiástico; una "Caxa Real" o Tesorería, un tesorero, un contador, un auditor de guerra, y otros funcionarios menores. Además, estaba el gobierno militar, cuyo Jefe Supremo era el propio gobernador, y que se componía básicamente de un regimiento llamado "Fijo", porque era permanente, el cual totalizaba unos 3.000 hombres sobre las armas, con su respectiva oficialidad. A lo cual se sumaban las llamadas "milicias", compuestas por vecinos adiestrados militarmente, y de las cuales había una, formada por blancos, y eran las llamadas "milicias blancas"; y otras por mestizos y mulatos, que eran las "milicias pardas".

La segregación racial

Además de su bahía, poblada entonces de sábalos, tortugas, tiburones y a veces hasta por caimanes, y que les pareció maravillosa a los visitantes, por su seguridad y su belleza, lo que les llamó más la atención en Cartagena fue la forma como la población de la ciudad estaba dividida y segregada en tres castas principales: blancos, indios y negros, cada una con su rango y costumbres, entre las cuales había muchas "intercadencias" o mezclas raciales: mulatos, mestizos, zambos, zambaigos, etc., etc. Los blancos, por su parte, se dividían en dos clases: la de los blancos europeos o "blancos de Castilla", que por lo general eran los grandes comerciantes, y la de los blancos criollos o nacidos en el país, que eran los poseedores de la tierra, y detentaban la mayor parte de la riqueza inmobiliaria.

El vestido de los cartageneros

Siguiendo la costumbre y moda de la época, los cartageneros del siglo XVIII, al menos los blancos, los mulatos y mestizos, se vestían, tanto hombres como mujeres, lo mismo que en España, pero su ropa era "muy ligera, pues no permite otra el clima del país". Los hombres vestían "en cuerpo, como en Europa", pero con la diferencia de que las chupas (o camisas) eran de una tela llamada "bretaña", y de lo mismo los calzones. Las casacas eran también de un género "muy sencillo", como el tafetán, pero de todos colores. No se usaba corbata, sino sólo el cabezón de la camisa, con unos botones de oro gruesos; y en cuanto a la peluca blanca que por entonces se llevaba en las cortes europeas, los señores Ulloa y Juan no la vieron sino en la cabeza del Gobernador y uno que otro oficial del ejército, algo apenas lógico, dada la temperatura de la ciudad.

Por su parte, las mujeres usaban "una ropa que llaman pollera, que pende de la cintura, y está hecha de tafetán sencillo y sin forro... y de medio cuerpo arriba, un jubón o almilla blanca, muy ligera". Para salir a la calle, se ponían manto, y se cubrían la cabeza con un lienzo o pañoleta blanca, "en forma de mitra", al que llamaban "el pañito". Pero las mujeres blancas salían poco, y cuando iban a misa, lo hacían a las tres de la madrugada.

El resto de tiempo, dicen los informantes, "es su continuo ejercicio estar sentadas en sus jamacas, meciéndose, para coger algún ambiente".

En cambio, los esclavos eran mantenidos, aunque con excepciones, casi en cueros, pues iban medio desnudos de la cintura hacia arriba, incluso las hembras, muchas de las cuales llevaban sus criaturas en las espaldas y les daban de mamar por encima del hombro. Así lo vieron los señores Ulloa y Juan.

Cualidades y defectos de los cartageneros

Pero estos caballeros se llevaron, en cambio, muy buena impresión del carácter del pueblo cartagenero, del que dicen que poseía "hábiles y despiertos ingenios, así como industria para trabajar perfectamente las artes mecánicas". Les admiró, además, la hospitalidad y el espíritu caritativo de los cartageneros, sobre todo de las mujeres, y del que hacían gala no sólo las blancas, sino en especial las negras y las mulatas.

Por desgracia, ya para aquellos lejanos tiempos estaban en Cartagena muy extendidos los vicios del alcohol y del tabaco. Hasta las personas más arregladas de conducta solían beber unas copas antes del almuerzo, so pretexto de que era bueno para la salud en nuestro clima. Esto era lo que se llamaba "hacer las onces", por alusión doble a la hora en que se empezaba a libar, y a las once letras de la palabra aguardiente. Y en cuanto al tabaco, su uso estaba tan generalizado, que lo fumaban hasta en los conventos de monjas, y con la particularidad de que las mujeres "lo chupan poniendo dentro de la boca el extremo que está encendido".

Bailes y velorios

Bailaban mucho los cartageneros del siglo XVIII, como ahora. En las casas distinguidas esa diversión "era honesta y sosegada, bailando en sus principios algunas danzas que imitan a las de España", para continuar luego con las del país "que son de bastante artificio y ligereza"; pero, en el pueblo bajo, los bailes llamados fandangos iban acompañados de "gran desorden, con aguardiente y vino, a que se siguen indecentes y escandalosos movimientos".

Los duelos y entierros eran impresionantes, por su solemnidad pintoresca. Cuando el difunto era persona importante, el cadáver era colocado en la sala, y las puertas de la casa no se volvían a cerrar durante 24 horas para que los amigos de la familia pudieran entrar y salir, y para que las plañideras, que eran mujeres de baja ralea, vinieran a llorar al difunto, como lo hacían en medio de clamores llorosos, gritos desaforados, y no sin escanciar de vez en cuando algo de vino o aguardiente, durante cuya función solían recitar cuantas propiedades buenas o malas tenía el muerto. Aquello, apuntan los visitantes, "es como una confesión general".

La cocina criolla

Muy abundante y agradable les pareció a éstos la cocina criolla, y en su informe celebran los manjares que se servían en las mesas cartageneras, "aderezados a la moda del país, pero muy gustosos también para los forasteros". Uno de los platos que más les agradó fue el "ajiaco" que ya en nuestra época tiende a desaparecer, al que bastaría, dicen, la abundancia de especies que lo componen, -puerco, aves, plátanos, pastas de maíz, y otros varios ingredientes-, para hacerlo gustoso. Estas comidas se repartían en tres tandas: la de la mañana, "algo ligera", pero siempre a base de chocolate y algún plato frito o pasteles; la del medio día "más cumplida"; y, por la noche, otra vez chocolate, y algo de dulce.

La Armada de Galeones y la feria comercial

Pero lo más importante de Cartagena, era su comercio, el cual se derivaba, principalmente, de la famosa "armada de galeones", que hacía escala final en nuestro puerto, y con cuyo motivo se celebraba una feria, en la que se cambiaban mercancías por plata, oro sellado o en polvo, esmeraldas y otras piedras y géneros preciosos del país. A Cartagena se trasladaban entonces comerciantes de todas partes del Reino, incluso de Quito y de Lima, para hacer sus compras, y esto le daba gran animación a la ciudad, y dejaba ganancias para todos: "unos con el arrendamiento de sus casas y tiendas; otros con el de las obras que se ofrecen, según el oficio que profesan; y otros, de los jornales de negros y negras que tienen, porque no faltándoles (a éstos) en qué trabajar, se aumenta su precio, y corriendo la plata en abundancia para todos, tienen con qué vestirse... y así en estas ocasiones se rescatan y libertan muchos esclavos, con lo que ahorran".

El "tiempo muerto"

Pero todo este bullicio y trajín provocado por la visita de los galeones, cesaba con su partida, y quedaba entonces la ciudad "en grande soledad y silencio y tranquilidad": era lo que se llamaba el "tiempo muerto". Una niebla de quietud envolvía entonces a la ciudad de Heredia, hasta que, meses después, nuevamente la flota, con sus velas, sus grímpolas, sus gallardetes, sus géneros de Castilla y su alegre marinería, venía a despertarla del sopor colonial...

LOS INGLESES CONTRA CARTAGENA

El sitio de Vernon en 1741

En el año de 1739 se desencadenó entre Inglaterra y España un largo conflicto que es conocido comúnmente en la Historia Universal como "la guerra de la oreja de Jenkins". En realidad esta guerra tuvo como causa última la rivalidad comercial y política entre las dos potencias, y la pretensión inglesa de dominar el Caribe para penetrar con sus mercancías en el imperio español.

Pero la causa inmediata de aquella conflagración fue un incidente ocurrido cerca de las costas de la Florida, cuando el capitán de un guardacosta español interceptó el paso de un navío inglés, al mando de Roberto Jenkins y le hizo cortar a éste una oreja; después de lo cual, lo dejó en libertad, con este insolente mensaje: "Ve y dile a tu Rey que haré lo mismo con él si a lo mismo se atreve". Esta ocurrencia enardeció a la opinión pública inglesa, y dio ocasión para que el parlamento y el Gobierno de Inglaterra, presionados por los comerciantes de la City, declararan oficialmente las hostilidades, que ya habían comenzado de hecho, en octubre de 1739.

Con ocasión de este conflicto, y en desarrollo de un vasto plan de operaciones con que Inglaterra proyectaba no sólo apoderarse del Caribe, sino también dominar las colonias españolas del Pacífico, en el mes de marzo de 1741 se presentó frente a Cartagena la más poderosa escuadra que jamás surcara nuestros mares: eran 186 barcos, entre navíos de guerra, fragatas, bombardas, brulotes y buques de transporte. El Jefe de esta expedición era el Almirante Sir Edward Vernon, quien traía a bordo de aquella formidable flota un cuerpo de 8.000 soldados de tropas escogidas, 12.600 marinos, 2.000 peones y 1.000 negros esclavos, todo lo cual daba un imponente resultado de 23.600 comba- tientes. Y entre éstos, venía un regimiento de 4.000 jóvenes norteamericanos, reclutados en las colonias inglesas, principalmente de Virginia, los cuales venían al mando del Capitán Lawrence Washington, medio hermano del futuro libertador de los Estados Unidos, George Washington.

Las defensas de Cartagena no pasaban, en cambio, de 3.000 hombres entre tropa regular, milicianos, 600 indios flecheros, más la marinería y tropa de desembarco de los únicos seis navíos de guerra con que contaba la ciudad para protegerse: el "Galicia" que era la nave Capitana; el "San Felipe"; el "San Carlos"; el "Africa"; el "Dragón" y el "Conquistador".

Este pequeño contingente de fuerzas se hallaba comandado, sin embargo, por un grupo de hombres valientes, capaces y decididos a defender la ciudad hasta morir. A su cabeza se hallaba el recién nombrado Virrey de la Nueva Granada, D. Sebastián de Eslava, Teniente General de los Reales Ejércitos, con larga experiencia militar, quien había venido directamente desde España para encargarse, ante todo, de la defensa de Cartagena. Bajo su mando, pero en el mar, se hallaba el célebre D. Blas de Lezo, General de la Armada y viejo lobo marino, que había ya participado nada menos que en 22 combates, expediciones varias y batallas navales, en dos de las cuales -Málaga y Toulon- había perdido enteramente la pierna y el ojo izquierdos, y en otra, la de Barcelona, le quedó lisiada la mano derecha. Seguían, en orden jerárquico, el Mariscal de Campo D. Melchor de Navarrete, como Gobernador de la ciudad, a cuyo cargo quedó la parte administrativa y el abastecimiento de víveres; y el Coronel D. Carlos Des Naux, Ingeniero militar y Director de las obras de fortificación, quien actuó, primero, como Castellano del Castillo de San Luis de Bocachica, y luego como Castellano de San Felipe de Barajas. Aunque con algunas discrepancias de criterio en materia estratégica entre D. Blas de Lezo y el Virrey, estos cuatro hombres lograron finalmente unificar su acción bajo la dirección superior de Eslava, y resistir a pie firme el embate del inglés.

Y no era esta, por cierto, la primera vez que Sir Edward Vernon visitaba a Cartagena. Ya lo había hecho en marzo del año anterior. En esa ocasión el Almirante inglés, después de tomarse fácilmente a Portobelo, se había presentando frente a la ciudad con una escuadra de once naves, con la cual bombardeó desde lejos a Cartagena; y tres meses más tarde, en mayo, volvía contra la plaza con efectivos más considerables. No obstante, pronto se vio obligado, a retirarse, pues D. Blas de Lezo, con quien se había cruzado cartas de desafío, lo puso en fuga con maestría de consumado marino.

El Almirante inglés se había dado, pues, cuenta de que las uvas estaban verdes y de que no sería fácil conquistar a Cartagena. Por eso, ya en marzo de 1741, volvió de nuevo, pero ya con la formidable flota a que atrás nos hemos referido, de 186 barcos, muy superior a la famosa "Armada Invencible" de Felipe II, que sólo tenía 123.

En efecto, el día 13 de aquel mes y año, apareció por "Punta Canoa" la primera vela inglesa, con la que se inició el bloqueo del puerto. Luego, el día 20, Vernon, después de desplegar su flota a todo lo largo de la costa, comenzó a atacar el Castillo de San Luis de Bocachica (el mismo que había sido teatro de la heroica defensa de D. Sancho Ximeno 44 años antes) pero donde ahora había una guarnición de 500 hombres resueltos a todo, al mando del coronel Des Naux; y, después de silenciar las baterías de "Chamba", "San Felipe" y "Santiago", que lo defendían sobre la orilla exterior de Tierra Bomba, empezó a desembarcar lentamente tropas y artillería pesada para cañonear también el

Don Blas de Lezo
Héroe de la marina española, cojo, tuerto y manco por efecto de
acciones de guerra. Participó en 23 batallas y expediciones marítimas. Defendió valerosamente a Cartagena, donde murió en 1741.

Castillo por tierra, como lo hicieron. Por su parte, D. Blas de Lezo colocó cuatro de sus navíos, el "Galicia", el "San Carlos", el "Africa" y el "San Felipe", del lado interior de la bahía, en las proximidades del Castillo, para apoyarlo con sus cañones.

Desde entonces, el combate fue incesante durante 16 días consecutivos, con sus noches, hasta que finalmente los ingleses, cuya superioridad era abrumadora, lograron abrir una brecha en la fortaleza, y el bravo Coronel Des Naux, después de haber resistido aquella embestida, se vio precisado a evacuarla, con la gente que le quedaba, al tiempo que Lezo hacía barrenar e incendiar sus navíos, con el objeto de obstruir el canal navegable de Bocachica, objetivo que, por desgracia, no logró por completo, pues el "Galicia" no cogió fuego a tiempo, y cayó en manos del enemigo durante la retirada de su tripulación. La víspera de estos sucesos, el Virrey Eslava, quien con frecuencia se trasladaba a Bocachica para seguir de cerca las peripecias de la batalla, fue herido en una pierna; y D. Blas de Lezo, que tenía ya poco qué perder, en el brazo izquierdo. Para dar una idea de la violencia de aquella formidable lucha, bastará decir que según nos cuenta el propio D. Blas en su "Diario" de aquellos sucesos, durante el sitio y toma del Castillo de San Luis "se han disparado, -dice- seis mil y setentiocho bombas y dieciocho mil cañonazos". O sea, un promedio de 62 grandes disparos por hora ¡durante dos semanas!

Al día siguiente entró Vernon triunfante y con banderas desplegadas a la bahía, y se situó del lado interior de Tierra Bomba, con su navío Almirante, dos fragatas y un paquebote.

Los defensores de Cartagena optaron entonces por replegarse totalmente sobre la plaza, para hacerse más fuertes dentro de ésta, motivo por el cual ni siquiera intentaron resistir en Castillo Grande, de donde se retiraron; y muy contra la voluntad de D. Blas de Lezo, quien hasta última hora protestó y trató de evitarlo, se vio obligado por disciplina a hundir los dos únicos navíos que le quedaban, el "Dragón" y el "Conquistador", también con el ilusorio objeto de impedir la navegación por el canalizo entre los Castillos Grande y Manzanillo. Pero lo mismo que en Bocachica, este sacrificio resultó vano, pues los ingleses remolcaron el casco de uno de ellos para restablecer el paso, e iniciaron un desembarco masivo por las islas de Manga y de Gracia, sin atacar el Fuerte de Manzanillo, que dejaron a un lado. Hecho lo cual, un regimiento de jóvenes norteamericanos al mando de Lawrence Washington, se tomó la colina de la Popa, que también había sido desamparada por los cartageneros.

Vernon dio entonces por segura la caída de Cartagena, y despachó un correo hacia Jamaica e Inglaterra con tan fausta noticia.

Se inició entonces un bombardeo violento sobre la plaza, que duró desde el 13 hasta el 20 de abril, con el objeto de ablandar su resistencia y lanzarse luego al asalto final. En efecto, hacia las tres de la madrugada del dicho día 20, los ingleses iniciaron el ataque del Castillo de San Felipe de Barajas, con tres columnas de granaderos y varias compañías de soldados, además de los negros macheteros de Jamaica, que formaban la vanguardia. La guarnición de San Felipe estaba por su parte integrada por 500 hombres, al mando del mismo Coronel Des Naux, que ya había resistido en Bocachica e iba ahora de nuevo a batirse heroicamente con los ingleses en su empuje hacia San Felipe.

La batalla al pie de esta fortaleza fue violenta y, en su mayor parte, como en el caso de Drake, transcurrió en medio de las sombras nocturnas. Los ingleses, que se habían dividido en tres columnas, atacaron por otros tantos flancos al Castillo, a cuyos pies llegaron provistos de escalas y armas que creyeron adecuadas para el asalto final: pero al fuego nutrido de la fortaleza, se juntó la circunstancia de que, por imprevisión, aquellas escalas resultaron ser muy cortas para salvar el ancho del foso excavado por los defensores: la mortandad fue espantosa. Al cabo de cuatro horas de combate, con las primeras claridades del día, se vio que la derrota inglesa era patente: cientos de cadáveres y de heridos cubrían los alrededores del Castillo, y una salida rápida de los defensores de éste, que cargaron a la bayoneta, decidió la acción: el General Woork, bajo cuyo mando directo estaba la operación, ordenó la retirada, y pidió una tregua para recoger sus heridos y sus muertos, lo que se le concedió, con ciertas condiciones. En la pelea, los ingleses habían sufrido más de 800 bajas, además de 200 prisioneros, y perdido todos sus pertrechos.

Los navíos sitiadores, continuaron, sin embargo, bombardeando a la ciudad durante algunos días; pero pronto los cartageneros se percataron de que la resolución de los ingleses era la de abandonar definitivamente el campo. Y era por cierto tiempo de hacerlo, porque la situación de la Armada inglesa era ya desesperada. Aparte de los muertos y heridos en campaña, la fiebre y la disentería habían hecho su aparición a bordo de la flota y diezmado cruelmente a sus tropas. Cientos de soldados morían a diario, y los cadáveres flotaban en las aguas de la bahía. Por otra parte, las desavenencias entre el Almirante Vernon, hombre de carácter altivo, malgeniado y violento, y el parsimonioso Jefe Supremo de las tropas de desembarco, General Wentworth, habían llegado ya a un punto insostenible, en medio de mutuas recriminaciones por el fracaso, y todo esto dio lugar a que el alto mando inglés decretase la retirada, cosa que fue realizándose poco a poco, pero sin abandonar el cañoneo de la plaza. Así, hasta que finalmente desapareció la última vela de aquella formidable Armada, el sábado 20 de Mayo, día en que, según el "Diario" de D. Blas de Lezo, "no quedó ya ningún navío en este puerto...".

Al momento de abandonar a Cartagena, Vernon se consoló de la derrota sufrida destruyendo todas las fortalezas de la bahía que habían caído entre sus manos; y, además, incendió el navío "Galicia", que se hallaba en su poder.

Mientras tanto, en Inglaterra, los amigos del Almirante, que ignoraban el desastroso final de aquella expedición, habían hecho acuñar varias medallas conmemorativas de la supuesta toma de Cartagena, en una de las cuales aparecía representado D. Blas de Lezo de rodillas ante Vernon, con esta leyenda alrededor: "el orgullo español humillado por el Almirante Vernon". De estas medallas, que fueron objeto de burla por parte de los enemigos de Inglaterra, se conservan muchas todavía.

Más tarde, el Rey de España premió a D. Sebastián Eslava con el título nobiliario de "Marqués de la Real Defensa de Cartagena de Indias". En cambio D. Blas de Lezo murió olvidado en Cartagena, pocos meses después de la retirada de Vernon. Se ignora dónde está enterrado.

Años más tarde, la Corona concedió al hijo mayor de D. Blas, el Marquesado de Ovieco, pero por merecimientos propios, a los cuales sumó los de su ilustre padre.

LAS GRANDES CONSTRUCCIONES MILITARES DURANTE EL SIGLO XVIII

Si el siglo XVII había sido el de las grandes expansiones urbanísticas de Cartagena, y el de sus más importantes edificaciones civiles y religiosas, el XVIII fue, en cambio, el de sus máximas construcciones en el orden militar. En esta centuria Cartagena queda totalmente murada, y defendida por imponentes fortalezas. Ello se debe, en gran parte, al permanente estado de guerra que en aquellos años vivió España con respecto a Inglaterra, que imponía la necesidad de un mantenimiento en debida forma de nuestra plaza; pero también a la estabilidad y eficacia que el régimen virreinal le imprimió a todo el Nuevo Reino de Granada.

Esto no quiere decir que Cartagena no viera también alzarse en esta época muchas construcciones importantes de carácter civil y religioso. Entre estas últimas podemos citar, por ejemplo, las Iglesias de Santo Toribio de Mogrovejo, la de la Orden Tercera, y la que hoy lleva el nombre de San Pedro Claver y entonces se llamó, sucesivamente como ya se dijo, de San Ignacio y de San Juan de Dios; y, como edificaciones civiles, hay que mencionar la Casa (hoy llamada incorrectamente Palacio) de la Inquisición, que fue concluida en 1770; y la del Consulado de Comercio en la Calle del Sargento Mayor (calle 30 número 6-53 según la nomenclatura moderna).

En dos épocas hay que dividir la actividad constructora de Cartagena en el orden castrense o militar: antes y después del sitio de Vernon.

Antes del ataque inglés, la labor en este campo estuvo principalmente dirigida a reparar, reconstruir y mejorar las fortalezas maltratadas o totalmente destruidas por el Barón de Pointis durante su asalto y toma de la ciudad en 1697. Dentro de este criterio se procedió a restaurar el Castillo de San Luis de Bocachica y el de San Felipe de Barajas, que habían quedado muy estropeados; se rehabilitaron tres baterías, llamadas "Chamba", "San Felipe" y "Santiago", en la orilla externa de Tierra Bomba, y otras dos en la de Barú, llamadas "Varadero" y "Punta Abanico"; y, en fin, se reconstruyeron los Castillos de Manzanillo y de Santa Cruz de Castillogrande, lo mismo que la muralla de la marina.

Autor principal de casi todas estas obras fue el gran ingeniero militar D. Juan de Herrera y Sotomayor, que ya había tenido lucida actuación en Chile y

Buenos Aires, y quien llegó a Cartagena a principios del siglo, para permanecer aquí 30 años, hasta su muerte en 1732.

Pero la más notable obra suya, no ya en el orden estratégico, sino en el arquitectónico, fue la famosa Puerta principal de la ciudad, llamada hasta ayer por los cartageneros viejos "la Boca del Puente", y mejor conocida hoy como la Puerta del Reloj. Hasta la llegada de Pointis, esta vía de acceso al principal recinto amurallado, era un simple boquete, casi un agujero. El ingeniero Herrera y Sotomayor lo tansformó en una hermosa y austera fachada, en cuyo interior se construyeron tres bóvedas a prueba de bomba: las dos laterales para almacén de víveres y pertrechos, y en la central se labró, por la parte exterior, una portada entre columnas toscanas, a cuyo respaldo, en la parte superior, se hizo "un alojamiento en donde está colocado el reloj de la ciudad", y encima, un chapitel donde estaba la campana de dicho reloj, el cual, obviamente, miraba hacia el interior del recinto. Posteriormente, a fines del siglo XIX, en 1888, y con el objeto de que el reloj pudiera ser visto desde afuera, se levantó la torrecilla goticoide que actualmente existe, y que, aunque constituye un anacronismo arquitectónico de gusto muy discutible, muchos cartageneros consideran ya como símbolo de la ciudad.

La segunda etapa de construcciones militares en el Siglo XVIII sobrevino, como se ha dicho, a raíz del sitio de Vernon.

En efecto, apenas la flota inglesa se hubo retirado del puerto, el Virrey Eslava se propuso reparar los daños causados por el inglés, y aun mejorar esas defensas. Para esto, contó principalmente, con dos grandes ingenieros militares, que fueron D. Carlos Des Naux, el gallardo defensor de Bocachica y luego de San Felipe durante el sitio, y D. Juan Bautista Mac Evan. Des Naux llevó a cabo un proyecto de las obras que era preciso ejecutar; pero el gran realizador de ellas fue Mac Evan.

A Juan Bautista Mac Evan se deben, en efecto, dos obras capitales: el proyecto y planos del Castillo de San Fernando de Bocachica (que luego fue ejecutado por D. Lorenzo de Solís y D. Antonio de Arébalo) cuyo castillo vino a reemplazar al de San Luis, arruinado definitivamente por Vernon; y la de San Sebastián del Pastelillo, obra esta llamada así, o sea "de pastel", porque se proyectó con alturas muy rebajadas, para que no obstaculizara los tiros de cañón de la plaza o del Castillo de San Felipe, y, en cambio, pudiese disparar él mismo y con facilidad sobre la línea de flotación de los barcos enemigos que se le acercaran.

Pero el momento de mayor esplendor de las construcciones militares cartageneras fue sin duda el que abarcó toda la última mitad del siglo XVIII, cuando la dirección personal de aquellas fue confiada, durante casi 60 años, al insigne ingeniero D. Antonio de Arébalo.

Arébalo llegó a Cartagena en noviembre de 1742, después de haber actuado en Cádiz, en San Sebastián, en Puerto Rico y en Venezuela. Y aquí permaneció, trabajando de modo incansable y modesto, en bien de la ciudad, a la que adoptó como su segunda patria, hasta su muerte, acaecida en el año de 1800.

Sus obras principales fueron, en síntesis:

A) Las Baterías colaterales del Castillo de San Felipe de Barajas, o sean las llamadas de San Carlos, Los Doce Apóstoles, la Redención, Santa Bárbara, San Lázaro y el llamado "Hornabeque", que consiste en dos medio baluartes unidos por una "cortina". Todas estas Baterías quedaron defendidas a su vez con infinidad de obras complementarias, como aljibes, garitas, rampas, rastrillos, caponeras, etc., etc., además de un ingenioso sistema de comunicaciones, mediante galerías subterráneas y plataformas superficiales dotadas de "cortaduras" o puentes que en cualquier momento podían ser volados. A todo lo cual hay que añadir una red de minas profundas destinadas a barrenar el Castillo y volarlo con explosivos en caso de necesidad.

B) La "Escollera de la Marina" a todo lo largo de las murallas que corren desde Santa Catalina hasta Santo Domingo. Esta escollera, que quedó en nuestra época sepultada por la Avenida Santander, tuvo por objeto proteger a las mismas murallas contra los embates del mar.

C) La conclusión del Castillo de San Fernando de Bocachica y de sus Baterías a saber: la del "Angel San Rafael", sobre un pequeño cerro que se halla detrás del pueblo de Bocachica; obra esta que por desgracia ha desaparecido por completo, quedando tan sólo el muelle que hoy sirve de embarcadero a los moradores del pueblo, pero que era sumamente ingeniosa, pues poseía un sistema de "nichos de muerte", para defenderlo de afuera hacia adentro, y tan original que Zapatero, lo considera como una "lección de ingeniería militar"; la Batería de "San Francisco de Regis", al pie del mismo Castillo, sobre el canal navegable, desaparecida también; y la de "Santiago", al otro lado del foso, sobre la tierra firme, de la que quedan restos.

D) El espigón de Santa Catalina (o de La Tenaza, como se le llama hoy equivocadamente) cuyo objeto era interceptar el paso de cualquier invasor que, habiendo desembarcado por Crespo o La Boquilla, intentara rodear a la ciudad por tierra. Esta obra se hizo indispensable desde el momento en que se formó playa en el exterior de la muralla de la Marina, cuando fue construida la escollera de Arébalo.

E) La Tenaza (o "revellín") emplazada frente a los Baluartes de Santa Catalina y San Lucas, y mirando hacia lo que hoy es el Cabrero, obra esta que fue demolida a fines del siglo XIX; el "Hornabeque de Palo Alto", entre el actual aeropuerto y La Boquilla, y las Baterías de "Más" y de "Crespo", en esa misma zona, todas desaparecidas.

F) El Dique o escollera submarina de Bocagrande. Esta obra tiene una historia singular, que arranca desde mediados del siglo XVII, cuando unas naves portuguesas naufragaron en el Canal de Bocagrande; y esto, ayudado por vientos y mares de leva, provocó la formación de una barra de arena que cerró por completo la entrada de barcos a la bahía por ese canal. Esta feliz circunstancia dio pie para que los estrategas de Cartagena concentraran toda la defensa de la bahía en las fortificaciones de Bocachica. Pero a raíz del sitio de Vernon en 1741, he aquí que nuevas borrascas y mares de leva vinieron a socavar y destruir aquella barrera, formada por el mismo mar, debido a lo cual, la navegación por la Bocagrande quedó espontáneamente restablecida. Ahora bien: esto representaba un enorme peligro para el puerto, que ya tenía todas sus defensas organizadas sobre el canal de Bocachica. ¿Qué hacer?

Mucho fue lo que se discutió sobre este asunto, hasta que en 1753 se decidió cerrar la Boca Grande con un dique, cuyos trabajos se iniciaron ese mismo año; pero las obras encontraron muchos tropiezos iniciales y no fue sino a partir de 1770 cuando aquel proyecto gigantesco empezó a ser adelantado en firme, bajo la dirección de D. Antonio de Arébalo, quien, juntando trabajadores que a veces llegaron a más de 600, logró terminarla en el año de 1778. Y aunque después, en 1800, unos vientos del nordeste, lograron abrir tres boquetes en aquella formidable muralla submarina, que oblitera todo el canal, tales daños fueron reparados y hasta hoy el mar no ha podido aún destruir la grandiosa obra del insigne ingeniero.

G) Ultima y definitiva realización de D. Antonio en Cartagena, fue la contrucción de las célebres 23 bóvedas, con su pórtico de 47 arcos, cuyo objeto no fue nunca, como se ha creído, el de servir de prisión, sino de depósito de pólvora, víveres y pertrechos, así como de cuarteles a prueba de bomba, para las tropas de refresco en tiempo de guerra.

Con esta obra, última de importancia realizada, no sólo por Arébalo, sino por el régimen colonial español, quedó totalmente murada y soberbiamente defendida Cartagena de Indias. La plaza debía así ser inexpugnable; más, por una ironía del destino, vino a ser a la misma España a quien le tocó comprobar la excelencia de aquellas fortificaciones durante el sitio puesto a la ciudad por el Pacificador Morillo en 1815 como veremos.

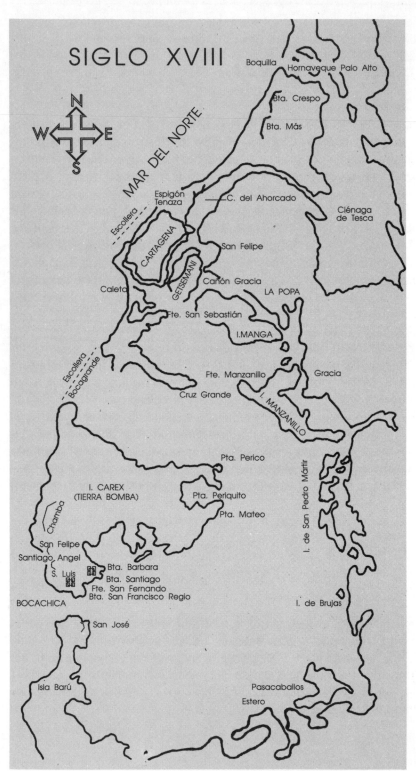

Las Fortificaciones de Cartagena de Indias, en el siglo XVII.

Tomado de la obra "Las Fortificaciones de Cartagena de Indias", de Juan Manuel Zapatero.

CARTAGENA VIRREINAL

Durante la segunda mitad del siglo XVIII, Cartagena se convirtió prácticamente, en una especie de capital alterna del Nuevo Reino de Granada.

En efecto, a partir del Virrey Eslava (1740-1749) la permanente situación de guerra con el inglés, obligó a casi todos los gobernantes del Nuevo Reino a establecerse en nuestra ciudad por largas temporadas, pudiendo asegurarse que de los 70 años que duró el régimen virreinal en nuestro país, veinte, por lo menos, se los pasaron estos mandatarios en Cartagena. Además, la mayoría de las transmisiones de mando se llevaron a cabo entre nosotros, en medio de ceremonias fastuosas, en las que el Virrey entrante iba en carroza hasta San Francisco en Getsemaní, a buscar al Virrey saliente, para recibir allí de éste el simbólico bastón de mando, y trasladarse luego, juntos, a la Plaza de la Contaduría (hoy de la Aduana o de Rafael Núñez) en cuyo Salón de Audiencias, y en presencia del Cabildo y demás autoridades civiles, militares y religiosas, se leía el título del nombramiento, y el nuevo mandatario prestaba, ante la cruz de su espada o de su orden militar, el juramento de rigor. Con este motivo había luego banquetes, regocijos populares, iluminación general y fuegos artificiales durante la noche. Con el tiempo, estas ceremonias y festividades llegaron a ser habituales para los cartageneros.

Don Sebastián de Eslava (1740-1749)

El Virrey que más tiempo vivió en Cartagena fue D. Sebastián de Eslava. En efecto, este benemérito y alto funcionario permaneció entre nosotros, de seguido, casi diez años completos; y no ya solamente obligado por las incidencias de la guerra contra Inglaterra, que se prolongó durante siete años más, después del sitio de Vernon, sino porque desde esta ciudad podía, según parece, gobernar mejor a todo el Virreinato, el cual comprendía también a la Capitanía de Venezuela y a la Presidencia de Quito. Pero quizá igualmente porque se hallara a gusto en la ciudad, pues es lo cierto que, a pesar de haber sido nombrado Virrey en el Perú, se abstuvo de aceptar esta dignidad, para seguir gobernando desde Cartagena al Nuevo Reino. La casa en que vivió Eslava, situada en la Playa del Tejadillo, aunque muy maltratada, es identificable todavía en nuestra época por el blasón o escudo de armas de su antiguo dueño el Marqués de Villalta, que puede verse todavía sobre la puerta, casa que sigue llamándose popularmente "del Virrey".

El Virrey de la Nueva Granada, don Sebastián de Eslava.
Defendió brillantemente a Cartagena contra el inglés en 1741.
Ejerció su cargo durante diez años desde esta ciudad, sin ir
nunca a Santa Fe.

Don José Alfonso Pizarro (1749-1753)

Al Virrey Eslava lo sucedió, a fines de 1749, D. José Alfonso Pizarro quien luego de posesionado, permaneció entre nosotros cuatro meses, inspeccionando las fortificaciones, y tomando medidas de buen gobierno en general. La gestión de este Virrey fue memorable para Cartagena por el impulso que le dio a nuestra Casa de Moneda.

Don José Solís Folch de Cardona (1753-1761)

A Pizarro lo reemplazó, cuatro años después, D. José Solís Folch de Cardona, Grande de España y personaje muy connotado en la Corte de Madrid, cuya llegada a Cartagena causó sensación por el enorme equipaje que trajo consigo, consistente en 90 fardos, cofres, maletas, maletones, petacas y baúles, con vajilla de plata y abundantes provisiones como si viniera al desierto. Pero el señor Solís no se posesionó en Cartagena, pues su antecesor, el Virrey Pizarro, que sufría de "una llaga en la pierna", no pudo bajar a tiempo para recibirlo en Cartagena. Tampoco vivió Solís entre nosotros, ni regresó para embarcarse aquí, al término de su gobierno, pues se quedó en Santa Fe, en donde, después de algunas aventuras galantes, entró arrepentido en la religión, y se hizo lego del Convento de San Francisco apenas hubo entregado el mando a su sucesor, D. Pedro Messía de la Cerda.

Don Pedro Messía de la Cerda (1761-1772)

El señor Messía de la Cerda, que era marino, había ya vivido anteriormente en Cartagena, como Comandante de una escuadra encargada de celar el contrabando inglés en nuestras costas, por cuyo motivo fue recibido de nuevo en la ciudad con alegría y no pocos agasajos. Con él vino el sabio Dr. José Celestino Mutis como su médico particular.

Durante el largo gobierno de Messía, que duró más de once años, se cumplió la expulsión de los jesuitas, ordenada por Carlos III, de todos sus dominios europeos y americanos, hecho que conmocionó al Imperio, y que en Cartagena tuvo como ejecutor al Gobernador de aquellos días (1763) que lo era el Marqués de Sobremonte. Y en Mompós, el encargado de esta tarea fue el Conde de Pestagua, un aristócrata local.

Otro suceso que, ya en otro campo, tuvo ocurrencia durante este período, fue la prohibición, bajo pena de excomunión, que el Obispo de la Diócesis, D. Diego Peredo, hizo de los bailes populares llamados "bundes o fandangos", por los muchos excesos que ocasionaban. Como se podrá imaginar, la protesta fue general y, en previsión de una delicada situación de orden público, el Gobernador D. Fernando Morillo y Velarde, y la misma Corte de Madrid, se vieron precisados a intervenir, para suspender aquella rigurosa medida del Sr. Peredo, lo que se logró, con ciertas limitaciones, como la de que los dichos bailes no se llevaran a cabo en vísperas de fiestas de guardar, para que el pueblo no dejara de asistir a la misa.

También se recuerda, como hecho curioso ocurrido bajo la administración del Virrey Messía, el permiso que el antedicho Marqués de Sobremonte concedió para que se construyera en Cartagena una plaza de toros, en la llamada plaza del Matadero, en Getsemaní. Pero se ignora si este proyecto tuvo ejecución.

Don Manuel Guirior (1772-1776)

Luego del Sr. Messía de la Cerda, vino y se posesionó también en Cartagena, el Virrey D. Manuel Guirior, quien permaneció entre nosotros casi un año, vigilando las construcciones militares en marcha, y dirigiendo la guerra a que había dado lugar una sublevación de indios guajiros. Sin embargo, su gobierno no fue muy largo, y en el año de 1776 lo vino a reemplazar D. Manuel Antonio Flórez, a quien acompañaba su esposa Doña Juana María Pereyra, criolla de Buenos Aires, quien dejó entre nosotros recuerdo grato por su belleza y habilidades para la danza.

Don Manuel Antonio Flórez (1776-1782)

Fue el señor Flórez un mandatario ilustrado, a quien se debió, entre otras medidas progresistas, la fundación de la "Real Biblioteca", que fue la base de la actual Biliboteca Nacional, así como una interesante reforma educacional con supresión de los azotes a los niños; y la introducción a Santa Fe de la primera imprenta, que fue llevada, por cierto, desde Cartagena, donde ya existía de tiempo atrás.

No obstante, este mandatario tuvo el infortunio de que durante su mandato ocurriera la insurrección llamada de "Los Comuneros", causada, entre otras razones más profundas, por los altos impuestos que le impusiera al pueblo de la Nueva Granada un comisionado directo de la Corona para dichos efectos, el llamado Regente Visitador D. Juan Francisco Gutiérrez de Piñeres.

Estos acontecimientos ocurrieron estando el Virrey Flórez en Cartagena, quien desde aquí atendía a la sazón las necesidades de una nueva guerra contra los ingleses, por cuyo motivo, este mandatario se mantuvo alejado de aquella tormenta interior. Pero desde esta plaza despachó socorros, traídos por cierto de La Habana, y no sacados de nuestro Regimiento Fijo, donde casi todos los soldados eran socorranos y tunjanos, y de los que se temía que hicieran causa común con sus paisanos en armas. Concluida la revolución y pacificados los pueblos, Flórez concedió un indulto general a los comprometidos (que no fue cumplido) y renunció al cargo. Fue promovido al Virreinato de México, para donde partió directamente desde Cartagena.

Don Juan de Torrezar Díaz Pimienta (1782-1782)

Para reemplazar a Flórez, la Corte escogió como Virrey precisamente al Gobernador de Cartagena, D. Juan de Torrezar Díaz Pimienta o, más sencillamente D. Juan Pimienta, como él solía firmar su nombre, quien estaba casado con una cartagenera, Doña María Ignacia de Sala y Hoyos, nieta a la vez de dos aristócratas locales, los Marqueses de Premio Real y de Valdehoyos. Esta cartagenera fue la única criolla del país que alcanzó la alta dignidad de Virreina.

Por desgracia, el Sr. Pimienta no llegó a ejercer su cargo efectivamente, pues a los cuatro días de haber llegado a Santa Fe falleció, después de un viaje lleno de peripecias, en el que la Virreina dio a luz un niño en una desolada playa del Magdalena. Lo reemplazó nadie menos que el propio Arzobispo de Bogotá, D. Antonio Caballero y Góngora, quien se convirtió así, por la duplicación de su autoridad civil con la religiosa, en "Arzobispo-Virrey", nombre con que lo conoce la historia.

Don Antonio Caballero y Góngora (1782-1788)

La administración del Sr. Caballero y Góngora fue particularmente grata para los cartageneros, pues este mandatario, además de propulsor de distintas obras de progreso general, para todo el país, como fue la célebre Expedición Botánica, matriz de nuestra independencia y fragua de nuestra nacionalidad, puesta bajo la dirección de D. José Celestino Mutis, resolvió abandonar definitivamente su sede en Santa Fe, ciudad cuya altura parece que le sentaba mal, para venirse a vivir a Cartagena, concretamente en Turbaco, ese "edén de los cartageneros", donde permaneció cuatro años y medio, gobernando desde allí todo el vasto Virreinato, y donde edificó su residencia virreinal, que es, básicamente, el edificio donde hoy funciona la alcaldía de esa población.

Entre los hechos ocurridos en Cartagena durante el gobierno del Arzobispo-Virrey, fue célebre, y se recordó por mucho tiempo entre los cartageneros, el ceremonial celebrado en Cartagena, en julio de 1787 con ocasión de la firma de una "Convención de Paz y Vasallaje" entre el Sr. Caballero y Góngora, y el "Gran Lebe" o Gran Sacerdote Mandinga, Jefe de los indígenas del Darién, que durante largos años se habían mantenido en estado de insurrección.

Fatigado de su doble tarea religiosa y política, el Arzobispo-Virrey pidió a la Corte que se le relevara de aquellos cargos, a lo que aquella accedió en 1788, y para reemplazarlo vino el Virrey D. Francisco Gil y Lemus.

Don Francisco Gil y Lemus (1788-1789)

El Sr. Gil y Lemus se posesionó en Cartagena, donde permaneció dos meses; pero su gobierno duró poco, pues no había llegado a Santa Fe, cuando, en Honda, recibió noticia de que había sido promovido al Virreinato del Perú, hacia donde viajó poco después, vía Cartagena. Lo sucedió D. José de Ezpeleta.

Don José de Ezpeleta (1789-1796)

El Virrey Ezpeleta, casado con una dama cubana llamada Dña. María de la Paz Enrile, que tuvo fama de ser la mujer más bella de su tiempo por estas latitudes, llegó a Cartagena por abril de 1789 (es decir, en el mismo año en que iba a estallar la Revolución Francesa, que tantas repercusiones habría de tener entre nosotros); y luego de posesionarse, marchó a Santa Fe, donde lo esperaban interesantes ocurrencias, una de las cuales fue el proceso que durante su gobierno se le siguió a D. Antonio Nariño, por haber traducido y publicado clandestinamente los célebres "Derechos del Hombre y del Ciudadano" proclamados precisamente por aquella revolución. Por cuyo motivo, se le condenó a presidio en Africa, y se le remitió preso por la vía de Cartagena, ciudad donde permaneció algún tiempo mientras era embarcado hacia su destino final.

Mas, por lo que toca a Cartagena, este Virrey es memorable por la fundación que bajo su gobierno tuvo lugar, en el año de 1895, del llamado "Consulado de Comercio". Era esta una entidad con funciones parecidas a las de las actuales Cámaras de Comercio, pero que, además, tenía capacidad para dirimir, en proceso breve y sumario, los pleitos que se suscitaran entre comerciantes, y la de promover obras de progreso como caminos, canales, etc. Los Consulados eran entidades autónomas, integrados por los mismos comerciantes, y estaban compuestos por un Prior, que era su Presidente, y varios "Cónsules", que eran los vocales de la mesa directiva. El primer Prior del Real Consulado de Comercio de Cartagena fue el comerciante español aquí radicado D. Tomás de Andrés Torres, a quien sucedió el payanés D. José Ignacio de Pombo.

Todavía existe en Cartagena, en la Calle del Sargento Mayor, el edificio conocido como "Casa del Consulado", que sigue siendo una de las mejores y más bellas de la época colonial, adquirido para sede propia de dicha institución.

Don Pedro Mendinueta y Muzquiz (1797-1803)

Después del gobierno del Sr. Ezpeleta, vino el del Virrey D. Pedro Mendinueta y Muzquiz, cuya esposa era también cubana. La transmisión del mando entre estos dos Virreyes se llevó a cabo en Cartagena, en enero de 1797, pero Mendinueta se quedó todavía un tiempo entre nosotros, inspeccionando las fortificaciones de la Plaza, como era ya lo acostumbrado.

Dos sucesos de importancia para Cartagena se recuerdan como ocurridos durante el período de este nuevo mandatario. Uno de ellos fue el bloqueo con que nuestro puerto fue amenazado por la flota de Inglaterra, con quien España se hallaba nuevamente en conflicto. Varias fragatas de esa nación se mantuvieron entonces, por largos días, rondando por frente a la ciudad; pero felizmente no se decidieron, o no se atrevieron a atacarla.

El otro suceso fue la llegada, en abril de 1801, del famoso sabio alemán Alexander Von Humboldt, quien venía acompañado de otro científico francés llamado Aimé Bonpland. Después de realizar una larga expedición por el río Orinoco, que duró casi un año, los dos sabios se dirigían ahora hacia Quito, por la vía de Santa Fe, donde proyectaban entrevistarse con D. José Celestino Mutis, de cuya existencia y trabajos científicos tenían conocimiento. Los dos sabios, el alemán y el francés, permanecieron en Cartagena varios días, tiempo que aprovecharon para excursionar por Bocagrande y por La Popa; y luego se trasladaron a Turbaco, donde fueron huéspedes durante casi un mes de D. José Ignacio de Pombo. Desde allí realizaron numerosas expediciones por los alrededores, en busca de nuevas especies botánicas, de las que hicieron varias clasificaciones científicas, y visitaron también los volcancitos de lodo próximos a esa población, de los que Humboldt hizo minuciosa descripción posteriormente.

Muchísimos años después, ya en su ancianidad, el sabio alemán recordó en una de sus obras, su permanencia en Turbaco con párrafos emocionados. "Allí, -dice- nos sentimos más felices que en ninguna época de nuestra lejana expedición".

Don Antonio Amar y Borbón (1803-1810)

El penúltimo Virrey de la Nueva Granada y sucesor de D. Pedro Mendinueta, fue D. Antonio Amar y Borbón. Este mandatario, pasado ya de los 60 años, y medio sordo, llegó a Cartagena a mediados de 1803, con "un abultado equipaje entre el que se contaba, entre otras cosas de boato, una rica vajilla de plata que pesaba, junto con los demás objetos del mismo metal, 1609 onzas".

El Sr. Amar y Borbón no dejó para Cartagena y su provincia, como suceso digno de ser recordado, sino la fundación, en Mompós, (pero sin intervención de su parte) del célebre Colegio de Pinillos, que fue obra de la munificencia del insigne filántropo D. Pedro Martínez de Pinillos y de su esposa Doña Tomasa Nájera.

A este Virrey, cuyas facultades como gobernante fueron a lo sumo mediocres, le tocó en mala suerte asistir a los preludios de nuestra revolución de independencia, entre los cuales estuvo la nueva prisión de D. Antonio Nariño, quien ya había cumplido su primera condena, y su remisión por segunda vez a Cartagena, donde fue encerrado, con grillos de 23 libras al tobillo, en San José de Bocachica, y luego en las cárceles de la Inquisición; y por último, Amar y Borbón vino a ser el antagonista principal en los sucesos del 20 de Julio de 1810 en la capital del Virreinato. Depuesto pocos días después de aquel movimiento popular, este mandatario colonial fue traído a su vez en calidad de preso hasta Cartagena, y conducido al Convento de La Popa, donde se mantuvo hasta su final deportación hacia La Habana.

Cartagena se iba acercando así a los días gloriosos de su emancipación.

Aunque los prejuicios anti-hispánicos engendrados por la revolución de Independencia lograron, durante más de un siglo, presentar la etapa virreinal como un período oscuro e ingrato de nuestra incipiente nacionalidad, lo cierto es que la Nueva Granada conoció durante ella días tranquilos y prósperos, bajo el gobierno de mandatarios por lo general probos, justicieros e ilustrados. Cartagena, en particular, tuvo motivos muy especiales de gratitud para con este régimen, del que fue favorita, pues no sólo durante su vigencia adquirió rango de capital alterna del Reino, como ya hemos dicho atrás, sino que su sociedad, por razones obvias de etiqueta, se refinó con ciertos toques cortesanos, se ilustró con el trato de sabios, se decoró con varios títulos nobiliarios, y se enriqueció en fin, con el florecimiento de su comercio. Además, la continuidad administrativa y la estabilidad política que se logró por entonces, permitió que, después de tantos esfuerzos esporádicos y en cierto modo desorganizados, la ciudad viera completarse, bajo la mirada vigilante de los Virreyes, la obra titánica de sus defensas militares; pero sobre todo, permitió que en el territorio de su jurisdicción, se perfeccionara la obra misional y de civilización iniciada en la época de la conquista, mediante la fundación hecha por D. Antonio de la Torre y Miranda, el Padre Joseph Palacio de la Vega y otros misioneros y comisionados, de más de 43 poblaciones que hoy son prósperas ciudades, aunque no ya en su totalidad sufragáneas de su antigua capital.

Sin lugar a exageraciones, puede por lo tanto decirse que Cartagena fue, durante el régimen español, y en especial durante sus últimos años, la hija predilecta del gobierno colonial, del que se nutría como ninguna otra, pues careciendo de rentas propias, necesitó siempre de la ayuda de todo el Imperio para sostenerse y aun para vivir. No había, aparentemente, ninguna razón para que los cartageneros renegaran de aquel sistema de gobierno.

Y sin embargo, ya veremos cómo, impregnados del ideal libertario, renuncian a todos esos privilegios para inmolarse en holocausto a la causa de nuestra emancipación.

LA INDEPENDENCIA

LOS ALBORES DE LA REVOLUCION

Pese a la vigilancia de la Inquisición y demás autoridades coloniales, las ideas libertarias antimonárquicas, proclamadas por la Revolución Francesa en 1789, lograron infiltrarse en el vasto imperio español, al par que en la propia península ibérica. Y Cartagena, donde bullía una generación de jóvenes inteligentes e ilustrados, no podía ser ajena a aquellas inquietudes.

A lo anterior vinieron a sumarse otras circunstancias propicias para desencadenar una revolución política: la independencia de los Estados Unidos de América, proclamada en 1776, y posteriormente la de Haití; la prisión del Rey de España D. Carlos IV, y de su hijo D. Fernando, a manos de Napoleón, en Bayona; la invasión francesa de la península, y la instauración en ella de una dinastía napoleónica; el alzamiento del pueblo español contra José Bonaparte, a quien se consideraba como un Rey intruso; la formación de Juntas populares encargadas de "conservar" los derechos dinásticos de Fernando, "el Deseado"; y, en fin, la constitución en Sevilla de un Consejo de Regencia del que hacía parte, como representante de América D. Joaquín Mosquera y Figueroa, cuñado de uno de los alcaldes de Cartagena, D. José María García de Toledo; todos estos fueron hechos que politizaron profundamente a los cartageneros, como a los súbditos de todo el imperio español. Pero con la diferencia de que Cartagena era una de las llaves de éste y ocasionaron, lógicamente, los hechos que en seguida vamos a narrar.

El 22 de mayo de 1810

En ausencia de Fernando, el Consejo de Regencia de Sevilla quiso asegurarse de la lealtad de sus súbditos americanos; y con el propósito de que esos sentimientos fuesen manifestados públicamente, envió en 1810 a la Nueva Granada, como "Comisionado Regio", a Dn. Antonio de Villavicencio, criollo y aristócrata nacido en Quito, pero descendiente de cartageneros, por su abuelo el Marqués de Premio Real, a quien se le confió la misión de obtener que todos los gobernantes y cabildos del Reino jurasen fidelidad a Fernando y al propio Consejo.

El Sr. de Villavicencio llegó, en efecto, con ese encargo a Cartagena, a principios del mes de mayo de aquel año, y con ocasión de su arribo se alborotó en la ciudad el mundillo político; en seguida los cartageneros empezaron a pedir que se reuniera el Cabildo para decidir lo del juramento; y lo lograron al fin, el día 22 de mayo, en una tempestuosa sesión en la que dicho organismo resolvió jurar fidelidad a Fernando y al Consejo de Regencia pero, al propio tiempo, se exigió la constitución de una Junta de Gobierno para la Provincia, que debería estar compuesta por el propio Gobernador, (que era el Jefe de Escuadra español D. Francisco de Montes, de quien se sospechaba, por cierto, que era "afrancesado", o sea partidario de la dinastía napoleónica reinante), y dos cabildantes, con quienes aquel debería compartir las tareas y responsabilidades del gobierno. Para estos cargos fueron elegidos un criollo, el venerable anciano, D. Antonio de Narváez y de la Torre, el personaje tal vez más connotado de Cartagena en aquellos tiempos, antiguo Mariscal de Campo, viejo servidor público y jefe de un extenso clan familiar; y un español o "chapetón", como éstos eran llamados, D. Tomás de Andrés Torres, notable comerciante local, a quien ya hemos mencionado como primer Prior del Consulado de Comercio.

Esta sesión del Cabildo habida el 22 de mayo de 1810 , es memorable, porque señala el hito inicial de todo el proceso de la revolución de independencia en Cartagena. Hasta entonces, todo se movía por los cauces legales, pero pronto se desbordarían los acontecimientos.

El 14 de junio de 1810

Pocos días después de los sucesos del 22 de mayo, precisamente el día 14 de junio subsiguiente, tuvo lugar un segundo acto preliminar de la independencia cartagenera. En efecto, el Gobernador, D. Francisco de Montes, que había recibido con profundo disgusto la obligación que le impusiera el Cabildo de compartir el gobierno con dos cabildantes, hizo caso omiso de éstos. Y el Cabildo decidió entonces deponerlo y deportarlo del país.

Pero esto no era fácil, porque Cartagena era una formidable Plaza fuerte, y el Gobernador era al propio tiempo el supremo jefe militar de ésta. La conjura debía ser, pues, muy cuidadosa, y esta fue la labor que con suma habilidad y sigilo urdieron los dos Alcaldes de la ciudad (y a la vez Cabildantes) D. José María García de Toledo, y su amigo íntimo, D. Miguel Díaz Granados. García de Toledo, sobre todo, actuó en esta ocasión como verdadero cerebro de la conspiración, y no sólo trazó sus lineamientos generales, e inició contra el Gobernador Montes una serie de procesos penales, por desobedecimiento a las órdenes del Cabildo y otras causas, sino que, con la acusación de que Montes era "afrancesado", logró unir voluntades tanto entre civiles como militares, para dar a éste un golpe decisivo.

Y esto fue lo que ocurrió en la gloriosa jornada del 14 de junio (quizá más importante que el propio Once de Noviembre del año siguiente) cuando el Cabildo, en nueva y tormentosa sesión, depuso legalmente a Montes, mientras que una compañía del Regimiento Fijo, al mando del Teniente Miguel Caraballo, ganada para la causa patriota, hacía acto de presencia, amenazante y a tambor batiente, en la Plaza de Armas, frente a la Gobernación. "¿A dónde se dirige esa Compañía?", cuenta la historia que le preguntó desde el balcón de su Despacho el Gobernador Montes al Teniente Caraballo. A lo que éste le respondió, desde abajo: "No vine a órdenes de Usía, sino del Muy Ilustre Cabildo, Justicia y Regimiento de la ciudad". Y penetrando al Gabinete del Gobernador con gente armada, le intimó arresto. Montes, indignado, arrojó entonces su vara de mando al suelo, y exclamó, iracundo: "Pues se ultraja mi autoridad y mi persona. Ahí tenéis mi bastón".

Pocos días después, Montes era embarcado y deportado a La Habana, mientras en Cartagena se instauraba una Junta Suprema de Gobierno, formada por el Teniente del Rey D. Blas de Soria, quien le presidía, y los mismos colegas que Montes había rechazado, o sean D. Antonio de Narváez y de la Torre y D. Tomás de Andrés Torres. Pero entiéndase bien: esta Junta Suprema no se tuvo originalmente por independiente de España, sino que, simplemente, su propósito inicial era gobernar mientras Fernando VII fuera rescatado de su cautiverio.

La guerra con Mompós

Cartagena quedó, pues, en manos de los criollos y de los chapetones regentistas; pero como ocurre casi siempre cuando el enemigo principal desaparece, pronto la opinión pública empezó a fragmentarse. Ante todo, revivió la rivalidad entre los criollos y los chapetones, pues estos se dieron cuenta pronto de que el propósito a largo plazo de aquellos era la independencia absoluta de España. Y, además de esto, otra vieja rivalidad entre Cartagena y Mompós, que originalmente había tenido motivos comerciales, y luego tornádose política (pues los momposinos tascaban ya difícilmente la supremacía cartagenera en este campo) vino a perturbar aún más el clima de suyo tenso que ya se vivía en toda la provincia.

Ocurrió, en efecto, que una vez conocidos en Santa Fe de Bogotá los sucesos ocurridos en Cartagena el 14 de junio; y seguros ya los santafereños de que sus espaldas estaban bien cubiertas con Cartagena en manos patriotas, se lanzaron también a la revuelta, y apenas llegó a esa capital D. Antonio de Villavicencio, el pueblo se sublevó el día 20 de Julio, y se constituyó allá una Junta Suprema de Gobierno.

Pues bien: esto lo aprovecharon los momposinos, en cuanto les llegó, bajando por el río, la noticia de esta nueva ocurrencia; y, ni cortos ni perezosos, resolvieron, primero, adherir a la Junta de Santa Fe; y luego independizarse de Cartagena, y anexarse a la jurisdicción de aquella. Esto sucedió el día 6 de agosto de 1810.

Los cartageneros entonces reaccionaron en forma violenta e imprudente, pues en vez de entrar en negociaciones diplomáticas para lograr la reconstitución de la Provincia, su Junta de Gobierno, que entonces presidía el Dr. García de Toledo, reunió un ejército que, al mando superior del Dr. Antonio José de Ayos, se lanzó sobre Mompós y sometió por la fuerza a esa benemérita ciudad, episodio este lamentable en el que se derramaron las primeras gotas de sangre que luego, a borbotones, habrían de correr durante nuestra revolución de independencia. No contento con ello, el Dr. Ayos se trajo a Cartagena varios prisioneros, entre ellos unos parientes de Germán y Gabriel Gutiérrez de Piñeres, dos jóvenes momposinos residentes de vieja data en Cartagena, muy ligados con la aristocracia local, y ardientes patriotas, los cuales no perdonaron aquella ofensa, como veremos.

El 4 de febrero de 1811

A estas horas, ya los muchos chapetones establecidos en Cartagena habían abierto los ojos; y ya para esta época, simultáneamente con la expedición que se preparaba sobre Mompós, empezaron a conspirar contra la Junta Suprema para derrocarla, e instaurar en Cartagena un nuevo gobierno enteramente dependiente de España. Para esto, ya buena parte de la oficialidad del Regimiento Fijo estaba conquistada.

En efecto, en la mañana del 4 de febrero de 1811, al tiempo que las fuerzas cartageneras expedicionaban sobre Mompós, los chapetones realistas desencadenaron los acontecimientos; y ya venían desfilando las tropas, desde la Plaza de la Merced hacia la Gobernación, al grito de "¡Viva el Rey, Muera el infame Gobierno!", cuando el benemérito D. Antonio de Narváez y de la Torre, que por tantos años había sido Jefe de aquellas mismas fuerzas militares, pero que ya en su cansada ancianidad, se había retirado a la vida privada, salió de su casa revestido de todas sus galas militares y se presentó ante las tropas, de cuyos oficiales se hizo reconocer. Y, tomando personalmente el mando de aquellas, les condujo hasta su Cuartel.

De este modo, Cartagena pudo seguir en manos patriotas. El historiador José Manuel Restrepo dice, a este propósito, que "la contrarrevolución del 4 de Febrero de 1811 fue uno de los mayores peligros que ocurrió a la naciente libertad de la Nueva Granada".

EL ONCE DE NOVIEMBRE

Los dos clanes

A mediados de 1811, un año apenas después de la expulsión del Gobernador Montes, ya los patriotas cartageneros estaban minados por el morbo de la división intestina, y se habían polarizado alrededor de dos partidos que se combatían con encono. Eran en realidad, dos grandes clanes familiares, el uno agrupado en derredor de la figura venerable del ya anciano D. Antonio de Narváez y de la Torre, pero en la práctica comandado por sus parientes los hermanos Germán y Gabriel Gutiérrez de Piñeres, a quienes ya hemos mencionado; y el otro capitaneado personalmente por el Dr. José María García de Toledo. Este último personaje era también un aristócrata, nieto del Conde de Pestagua y cuñado como hemos dicho, de D. Joaquín Mosquera y Figueroa, Regente de España. Hombre culto y acaudalado, tenía de su parte a lo más granado de la intelectualidad cartagenera. Ahora bien: aquella pugna se había agudizado aún más desde el momento en que se trató de elegir Presidente de la primera Junta Suprema de Gobierno, a cuya elección concurrieron los que desde ahora podemos llamar "piñeristas" con el nombre del señor Narváez y de la Torre; y los otros, o sean los "toledistas", con el de García de Toledo: salió triunfante este último.

Después de esta elección, que dejó frustrados a los hermanos Piñeres, ocurrieron, para mayor encono de estos, y distanciamiento de unos y otros, los sucesos de la guerra de Mompós, de que ya dimos cuenta; y esto creó entre las dos fuerzas un clima de tensión que anunciaba tormenta. Para colmo, estaban a la vista unas nuevas elecciones destinadas a reunir una Convención que habría de redactar la futura Constitución del todavía embrionario Estado de Cartagena, y ambos bandos recelaban uno del otro, pero en especial el de los Piñeres, que aspiraban a imponer puntos de vista radicales en la Carta fundamental, y temían que los toledistas, desde el Gobierno, manipularan las elecciones a su antojo.

La Independencia absoluta

Todo lo anterior trajo como consecuencia que los Piñeres se radicalizaran cada vez más, y echaran mano de una bandera atractiva y fácil de manejar: la de la independencia absoluta con respecto a España.

Los hermanos Germán y Gabriel Gutiérres de Piñeres, llamados
"los inmortales Piñeres", protagonistas principales del Once de
Noviembre de 1811.

Ya a aquellas alturas del tiempo, era entendido que todos los próceres, de ambos bandos, involucrados en aquel proceso revolucionario, estaban de acuerdo en la tesis de que tarde o temprano habría que llegar a aquella independencia absoluta, e incluso tenían ya redactada, entre todos, un proyecto de declaratoria en tal sentido; pero discrepaban sobre la oportunidad de dar un paso tan grave, para el que, obviamente, los espíritus más prudentes pensaban que sería necesario buscar un previo acuerdo con las otras provincias del Reino, y obviamente, con los otros municipios de la provincia. Creían estos, además, que si España sucumbía en su lucha contra Napoleón, la independencia nos llegaría por sí sola, porque Inglaterra, con su flota, no permitiría que el Emperador francés extendiera su brazo hasta estas antiguas colonias hispánicas, cuyo comercio ella dominaba ya de hecho.

Los Piñeres en acción

Pero estaba de por medio la derrota electoral del partido piñerista en la elección para Presidente de la Junta de Gobierno, con la perspectiva de sufrir otra más en los comicios ya inminentes para la Asamblea Constituyente; y, por encima de todo, se hallaba la sangre insensatamente vertida en Mompós. Los hermanos Piñeres entraron en acción.

En efecto, pronto los dos inquietos y fogosos políticos tejieron una eficaz red de intereses electorales, reforzados por lazos familiares; y, ayudados de modo principal por su pariente, el Dr. Ignacio Muñoz llamado popularmente "El Tuerto", a quien por su parte apoyaba su propio suegro, el fundidor cubano Pedro Romero, residente en la Calle Larga del arrabal de Getsemaní, donde tenía gran influencia, y por los hijos de éste, organizaron un movimiento popular destinado a precipitar la siempre aplazada declaratoria de independencia absoluta, y, de paso, a tumbar a los toledistas del gobierno: dos pájaros con la misma piedra.

Y así, el día Once de Noviembre de 1811, desde muy temprano, los dirigentes populares piñeristas empezaron a concentrarse en casa de Romero y, probablemente, en otros puntos de reunión distribuidos por todo el arrabal. Se sabía que en esa fecha habría de sesionar la Junta de Gobierno y que el Dr. Germán Gutiérrez de Piñeres, que de ella hacía parte, sometería a discusión el asunto de la declaratoria de independencia absoluta, como lo hizo, en efecto. Pero los emisarios que iban y venían, trajeron de repente la noticia de que, otra vez, la Junta levantaría la sesión sin resolver lo de la declaración.

El Once de Noviembre

No se necesitó más: en seguida una muchedumbre popular se puso en marcha desde Getsemaní hacia la ciudad, por cuya puerta principal penetró enfurecida; y después de asaltar la Sala de Armas, que quedaba en la Plaza de la Aduana, de donde extrajeron las que necesitaban para sostener su movimiento por la fuerza, se apostaron, entre gritos, vociferaciones y amenazas, frente a la Gobernación, donde sesionaba la Junta, mientras que el batallón patriota "Lanceros de Getsemaní", que se había organizado desde el año anterior como una réplica al Regimiento "Fijo", y que mandaba Pedro Romero, se apoderaba de los principales baluartes, y hacía retumbar amenazadoramente el cañón. Otros más se interpusieron entre el Cuartel del Regimiento Fijo y el Palacio de Gobierno, para enfrentarse a una eventual salida de aquel cuerpo militar.

Mientras tanto, la sesión de la Junta avanzaba en forma tormentosa. Unos "comisionados del pueblo", que lo fueron en realidad de ellos mismos, "El Tuerto" Muñoz y el Cura Omaña, (un Presbítero que a la sazón se hallaba en Cartagena en representación de la Junta de Santa Fe, tratando de quitarle al gobierno toledista unos fusiles de que se había incautado) subieron al recinto para exigir, entre otras aspiraciones, a) la declaratoria de Independencia absoluta; b) la tridivisión del poder público; c) el destierro de todos los complicados en la contra-revolución del 4 de febrero; d) la devolución de los fusiles incautados al gobierno de Santa Fe; y e) la cesación de toda represalia contra los momposinos. Como se ve, había solicitudes de interés público general, y otras de carácter político interno. El propio populacho hizo entonces irrupción en el recinto y agravió de palabra a quienes se habían manifestado partidarios del aplazamiento de la declaratoria. García de Toledo mismo fue maltratado físicamente, y, en medio del desorden general y de mutuas recriminaciones, al fin la Junta, presionada por el pueblo armado, se plegó a las exigencias de éste, y todos sus componentes, incluso, para gloria suya, el propio García de Toledo, firmaron el célebre documento, más importante por sus efectos últimos, que por su origen: y el partido piñerista, dueño de las armas y del bajo pueblo, quedó en el poder.

Un destacamento de cien hombres del Regimiento Fijo salió entonces del cuartel, pero para respaldar el movimiento popular, con lo que todo quedaba consumado; y la propia Junta dio orden en seguida de solemnizar la publicación del Acta, mediante la lectura de un "Bando", donde se promulgaba la decisión de separarse para siempre del poder español, y de "derramar hasta la última gota de sangre antes que faltar a tan sagrado comprometimiento".

El gesto

El movimiento del Once de Noviembre tuvo un gran valor como gesto y manifestación de voluntad irreductible de ganar la independencia absoluta de España. Fue Cartagena, además, la primera que lo hizo en el Nuevo Reino de Granada; y cualesquiera que hubiesen sido los móviles inmediatos de política interna que lo precipitaran, y la forma como fue logrado, ello no disminuye en un ápice su importancia como símbolo y como ejemplo de valor, si se quiere temerario. Como Hernán Cortés, los cartageneros barrenaron aquel día el casco de su nave, sin medir ni calcular por más tiempo las consecuencias que de su acto se derivarían. Ese es su mérito indiscutible; pero, en la práctica, no hay duda de que la declaratoria de independencia absoluta no tuvo otro valor que el de un desafío audaz, pues una ciudad como Cartagena, sin rentas propias con qué sostenerse, sin auxilio interior, y sin alianzas exteriores, no podía tener la menor esperanza de subsistir indefinidamente como estado soberano e independiente.

Por eso tuvo que pagar aquella declaración con lágrimas y sangre. Y, además, con su ruina económica total, como veremos.

TRIUNFO Y OCASO DEL REGIMEN PIÑERISTA

La Inquisición es suprimida

Los años que subsiguieron a la revolución del Once de Noviembre de 1811 fueron fecundos en mil sucesos para la vida de Cartagena.

Como primera medida, el nuevo régimen de gobierno, al día siguiente mismo de su turbulenta instalación, tomó una decisión radical: suprimió el Santo Oficio de la Inquisición. Los inquisidores, sin embargo, se dieron sus mañas para permanecer en la ciudad hasta enero de 1812, cuando se trasladaron a Santa Marta, llevándose archivos y elementos del culto religioso. Desde allí regresarían en 1815, como se verá, en calidad de "capellanes" del Ejército Pacificador de D. Pablo Morillo.

Conflicto con el Obispo Díaz Merino

También hubo, en esos primeros días, un grave conflicto con el Obispo de la Diócesis, Fray Custodio Díaz Merino, quien no sólo se negaba a destruir las tablillas infamantes que la Inquisición tenía fijadas en la catedral, con los nombres de todos los condenados por ese Tribunal, sino que inclusive rehuía la solicitud de cantar un Te Deum Laudamus, en acción de gracias por la declaración de independencia. Recalcitrante realista, este Prelado no vino a acceder a esa petición sino con reservas, y sólo "para pedir a Dios la completa tranquilidad de la ciudad". Mas obligado al fin por la tirantez de sus relaciones con el gobierno novembrino, el Sr. Díaz Merino terminó abandonando su silla episcopal a fines de 1812, cuando salió hacia el exilio, y la Junta lo reemplazó interinamente, sin contar para nada con Roma, con el Pbro. D. Juan Fernández de Sotomayor, cartagenero, que era ardiente patriota, y había escrito un curioso "catecismo" de la libertad, para enseñanza del pueblo.

Anarquía y régimen de terror

Cartagena había quedado, mientras tanto, en manos del populacho armado, que arrastraba cañones por las calles para intimidar a los remisos; y, ebrio de libertad, desató crueles retaliaciones contra el partido toledista, en particular contra su Jefe, el Dr. García de Toledo, y contra el Dr. Antonio José de Ayos, quien hubo de sufrir el agravio de una fuetera en plena vía pública. Cartagena duró así casi tres meses en completa anarquía.

En estas deplorables circunstancias se llevaron a cabo, empero, las elecciones que estaban previstas en enero de 1812 para elegir Diputados a la Convención Constituyente que habría de redactar la Carta Magna del nuevo Estado Soberano. Felizmente, lo primero que hizo ese cuerpo colegiado apenas se instaló fue elegir Presidente, con facultades dictatoriales, al Dr. José María del Real Hidalgo, eminente jurista y prudente hombre público, quien logró reprimir con energía los desórdenes populares, comenzando por erigir una horca en el atrio de la catedral, que por fortuna suya no tuvo necesidad de utilizar. Pero su gobierno fue sólo de 68 días, y lo vino a reemplazar un joven de apenas 24 años, pero brillante, adicto al partido piñerista: Manuel Rodríguez Torices; a quien se le dio el título de Presidente-Dictador, con período de tres años; y como Vicepresidente fue elegido, obviamente, uno de los Piñeres: Gabriel.

Constitución, bandera, escudo republicanos

Luego se procedió a redactar la Constitución del Estado Soberano de Cartagena, primera también que se aprobó en el país, inspirada en los principios clásicos de la Revolución Francesa y de los Estados Unidos, cuyo documento, dice el historiador Porras Troconis, "si adolece de algunos defectos a la luz de la técnica del derecho constitucional contemporáneo, encierra en cambio excelencias ideológicas y bellezas literarias que lo colocan en primera fila entre los de su índole, expedidos por las Asambleas constituyentes de la época".

Complemento de aquella ley fundacional, fue la creación de la bandera y el escudo del Estado Soberano de Cartagena. La bandera es la llamada "cuadrilonga", porque consiste en tres cuadriláteros concéntricos, rojo, amarillo y verde, con una estrella blanca de ocho puntas en el centro de este último. Y el escudo es descrito así por la "Gaceta de Cartagena", del 16 de julio de 1812: "una india sentada a la sombra de una palma de coco, con un carcaj a la espalda, y en la mano derecha una granada abierta, cuyos granos pica un turpial; y en la izquierda, una cadena destrizada".

Pero aquella constitución, concebida para tiempos normales y naciones socialmente distintas, no podía ser instrumento adecuado para situaciones extraordinarias como las que se vivían, ni para un pueblo en su gran mayoría analfabeto e inculto, y pronto fue preciso suspender su vigencia y dictar un "Reglamento" por el que se establecía lisa y llanamente "la Dictadura", es decir el mismo absolutismo que tanto repugnaba a los patriotas, con la diferencia de que ahora iba a ser ejercido no por el Rey de España, sino por un monarca criollo y local. En su virtud, Torices fue elevado a la categoría de Dictador.

Contra-ataque realista

Había, por lo demás, razones sobradas para tal medida, pues aparte de la penuria fiscal, que obligó a emitir papel moneda por primera vez entre nosotros, los realistas de Santa Marta, reforzados por los numerosos comerciantes chapetones que emigraron de Cartagena a raíz del Once de Noviembre para ir a refugiarse en aquella ciudad, resolvieron contra-atacar; y aunque rechazados al principio de modo brillante por Mompós, a cuyo frente se colocó otro de los hermanos Piñeres, quizá el más importante de todos, llamado Vicente Celedonio (lo que le valió a esa ciudad el título de "La Valerosa" que le dio el gobierno cartagenero), terminaron por apoderarse de todo el Bajo Magdalena, y de las Sabanas de Corozal.

La guerra contra Santa Marta

La guerra entre Cartagena y Santa Marta estaba, pues, declarada, y Torices, dando muestra entonces, a tan cortos años, de gran madurez de criterio, organizó varias expediciones. Una, con la misión de reconquistar las Sabanas, al mando de un oficial español, pero adicto a la causa patriota (como habría muchos otros) llamado Manuel Cortés Campomanes. Esta expedición cumplió su cometido librando una acción victoriosa en el arroyo de Mancomoján, cerca de Ovejas; otra, dirigida por dos venezolanos que habían venido, junto con otros muchos derrotados en su patria nativa a refugiarse en Cartagena, los hermanos Miguel y Fernando Carabaño, con la de apoderarse de Cispata, como lo lograron; y, en fin, la principal de todas, que iba dirigida contra la misma Santa Marta. Por su importancia, esta expedición fue puesta al mando de un antiguo oficial napoleónico, caído en desgracia en su país, y llegado a Cartagena por aquellos días, llamado Pedro Labatut; y Labatut, en efecto, condujo a las tropas cartageneras, que pasaban de dos mil hombres entusiastas, con tal acierto, que tuvo un éxito fulminante, y después de varios combates felices en Sitio Nuevo, El Palmar, el Guáimaro, el Cerro de San Antonio y La Ciénaga, el día 6 de enero de 1813 entró triunfante a Santa Marta, de donde el Gobernador español, D. José Castilla salió a toda prisa, por mar, hacia Panamá seguido por más de 500 vecinos.

Bolívar llega a Cartagena por primera vez

Otro acontecimiento feliz para las armas de Cartagena vino a sumarse a aquellos hechos: mientras que las tropas de Labatut combatían en dirección a Santa Marta, llega a Cartagena otro venezolano más, también derrotado en su país por las fuerzas realistas: era un joven oficial caraqueño llamado Simón Bolívar. Pero derrotado y todo, los dirigentes piñeristas de Cartagena adivinaron en aquel joven la chispa del genio y no vacilaron en incorporarlo al ejército que expedicionaba sobre Santa Marta, dándole el comando de 200 hombres, que se situaron como destacamento en la línea del bajo Magdalena, en un punto llamado Barranca Vieja próxima a la actual Calamar.

El manifiesto de Cartagena

Mas, ¿cómo impedir que aquel aguilucho no alzara pronto el vuelo hacia su esclavizada patria natal, para libertarla? Bolívar no era hombre para permanecer atado a un oscuro puesto de vigilancia en el río Magdalena, y menos bajo mando de un oficial mercenario como Labatut. Sus objetivos eran más altos, y más grandes. Y por eso, después de hacer publicar un documento famoso, que es conocido con el nombre de "Manifiesto de Cartagena", donde proclama la libertad, no sólo de Venezuela y la Nueva Granada, sino de toda la América, pide permiso a Torices, quien se lo concede secretamente, para lanzarse sobre Venezuela, seguido por los 200 soldados cartageneros, y llevando como enseña la bandera cuadrilonga del nuevo Estado soberano. Esa fue la célebre "Campaña Admirable" que culminó con la reconquista de Caracas, y que la historia registra como una de las más extraordinarias proezas del que desde entonces fue llamado "El Libertador".

En esta forma, concluye felizmente para Cartagena el año de 1812. La política de los hermanos Piñeres, quienes no habían olvidado, por otra parte, la búsqueda del reconocimiento de las potencias extranjeras, para lo cual nombraron agentes ante Washington y París, había sido radical, pero brillante, y en los primeros días de 1813 se hallaba victoriosa en toda la línea.

El vuelco del destino

Pero el destino daría un vuelco, y la independencia efectiva no les vendría a los cartageneros como un regalo de lo Alto, sino que habría de ser conquistada con lágrimas y sangre.

En efecto, en marzo de 1813, apenas tres meses después de hallarse en manos patriotas, los vecinos de Santa Marta, apoyados por una banda de indios chimilas, se levantaron contra el gobierno de Labatut, cuya política represiva y cruel había despertado gran resentimiento. Y Labatut abandonó inexplicablemente el campo, casi sin combatir. Cartagena se vio así obligada a recomenzar su labor, y, sacando fuerzas de flaqueza, organizó entonces, no una, sino dos expediciones sucesivas, y por cierto ambas catastróficas, contra los samarios. La primera estuvo al mando de otro francés, llamado Louis Chatillón, y la segunda dirigida otra vez por el mismo y funesto Labatut. En la primera, cayó el propio Chatillón con la flor de nuestros soldados al intentar un desembarco en Papares. Allí los samarios fingieron una retirada, y cuando los cartageneros se habían internado suficientemente en el territorio, y debilitado en su línea de abastecimiento en relación con su flotilla, que comandaba el Capitán Rafael Tono, les cayeron encima, y los destrozaron; y en la segunda, tras de atacar el Castillo del Morro en la bahía de Santa Marta, de donde fueron repelidos, los argonautas cartageneros echaron pie a tierra cerca a la Ciénaga, y allí, después de furioso combate, fueron totalmente destruidos.

No hubo más recurso que replegarse sobre el frente que desde entonces se llamó "la línea del Magdalena". Labatut fue puesto preso y deportado a las Antillas, y el mando de ese ejército lo tomó el venezolano Miguel Carabaño.

Don Manuel del Castillo y Rada

Los desastres militares, la permanente agitación demagógica, y la ruina causada por las emisiones incontroladas de papel moneda, fueron dando poco a poco al traste con el prestigio del régimen piñerista, y una vigorosa reacción del partido encabezado por García de Toledo había alzado la cabeza, nutrida por todos aquellos fracasos.

Fue entonces cuando llegó a Cartagena, después de larga ausencia, el Coronel don Manuel del Castillo y Rada, un personaje a cuyo destino quedó ligada, de allí en adelante, la suerte de Cartagena, su ciudad natal y, consecuencialmente, la de toda la Nueva Granada.

El Coronel Castillo y Rada era miembro de una aristocrática familia local, pero desde muy joven, se había educado en Santa Fe, al lado de su ilustre hermano mayor, don José María del Castillo y Rada, quien brillaría luego en el firmamento de la Independencia como Ministro de Hacienda de Santander y del Libertador, y Vicepresidente de la Gran Colombia. El carácter pacífico de Don Manuel, su educación legalista de abogado, su temperamento civilizado y su inclinación más hacia las soluciones negociadas que a las de fuerza, no parecían señalarlo para la vida castrense, ni para la violencia de la guerra; pero, involucrado, como casi todos los jóvenes de su época, en el movimiento revolucionario independentista, se vio precisado, como lo hizo decorosamente, a participar en varias campañas, en el interior del Reino, en las que ganó el grado de Coronel; y, en un momento dado, precisamente a fines de 1812, hallábase como Comandante de un Ejército que las Provincias Unidas de la Nueva Granada habían enviado hacia Cúcuta, para oponerse a los avances del Coronel Ramón Correa, un jefe realista que venía triunfando desde Venezuela y amenazaba invadir al país.

Orígenes de un conflicto

En esos precisos momentos llegó Bolívar, como un potro de fuego, a Ocaña, con sus 200 cartageneros, a los que se sumaron en Mompós otros tantos patriotas con que el celo y la amistad de los hermanos Piñeres lo habían auxiliado. Los dos ejércitos, el de Castillo y el de Bolívar, estaban, pues, llamados a fusionarse. Pero se planteó entonces un conflicto de mando. ¿Cuál de los dos, el caraqueño o el cartagenero debería asumir la Jefatura Suprema? El Congreso de la Nueva Granada dispuso que el mando fuera ejercido simultáneamente por ambos, medida ésta, característica de la "patria boba", que resultó impracticable, porque además, entre Bolívar y Castillo no sólo había diferencias notables de temperamento -el uno era genial y el otro un militar con espíritu civilista y sin particulares facultades de estratega-, sino que discrepaban en numerosos puntos de vista. Sin embargo, en aquel momento el caraqueño no era más que un oficial derrotado en su patria, cuyos talentos no se habían demostrado palpablemente, y es por lo menos explicable que Castillo pretendiera superarlo; carente además, de la perspicacia de los hermanos Piñeres para intuir la grandeza de su rival, se empeñó en sostener puntos de vista y planes estratégicos propios con tal calor, que el rompimiento resultó inevitable. Bolívar, por ejemplo, quería internarse rápidamente en Venezuela, por la vía de los Andes, y Castillo creía que era mejor reconquistar primero a Santa Marta, pasar luego a Maracaibo y caer después sobre Caracas; Bolívar quería además, llevarse consigo a los dos ejércitos granadinos, el suyo y el de Castillo, y éste se resistía a aquella que consideraba, -y era, sin duda-, una aventura. Bolívar, en fin, le daba órdenes a Castillo, en vez de consultarlo, como lo había dispuesto el Congreso, para proceder de acuerdo, y Castillo buscaba la manera de no obedecer, o de hacerlo a su modo. Las relaciones se fueron así agriando entre los dos Jefes hasta llegar al agravio personal.

El Congreso, al fin, resolvió el conflicto en favor de Bolívar, y de sus pretensiones, y Castillo y Rada, amargado y resentido, renunció, y se dispuso a regresar a Cartagena "para dedicarse al comercio" según dijo después. Bolívar, mientras tanto, seguía el giro de su destino, y, alzando el vuelo nuevamente, llegaba a Caracas al cabo de tres meses, de triunfo en triunfo.

Castillo y Rada, Comandante

Otro era el sino que le aguardaba al Coronel Castillo y Rada. Su presencia en Cartagena fue saludada por todos como la de un salvador. No habiendo tenido figuración en ninguna de las luchas partidistas anteriores, y hallándose la ciudad acosada por los realistas samarios, todos a una, piñeristas y toledistas, lo forzaron a encargarse de la Comandancia de la Plaza, y Don Manuel tuvo la debilidad de aceptar.

Nuevos sucesos políticos

Un hecho nuevo perturbaría los primeros esfuerzos del Comandante para enderezar la situación. Miguel Carabaño, el Jefe de la línea del Magdalena, desesperado por la frecuente deserción de las tropas, que repudiaban el pago de sus raciones en papel moneda, concibió el proyecto (que, según parece, aprobaron los hermanos Piñeres) de caer sobre los bienes de los españoles que aún quedaban en Cartagena, para redimir con su producto los billetes en circulación. Pues bien: Castillo se opuso a aquel proyecto, del que tuvo alguna noticia, y no supo mantenerse encima de las facciones, sino que tomó partido por primera vez. Simplemente, puso preso a Carabaño, e intentó también echar mano a los hermanos Piñeres. Con lo cual, el partido toledista cobró ánimos automáticamente y, en poco tiempo, teniendo ya de su lado al ejército, se atrevió a dar un golpe en la llamada "Convención de Poderes" o sea el Congreso local, que se había reunido para reorganizar una vez más el gobierno, y ordenó que este fuera ejercido, conjuntamente, por el Presidente-Dictador, Rodríguez Torices, y el ciudadano Don José María García de Toledo. Era un regreso aún tímido al poder.

Al principio, aquella dualidad de mando funcionó más o menos bien; pero sucedió que Torices fue elegido (en ausencia) nada menos que Presidente de las Provincias Unidas del Nuevo Reino, lo que demuestra que la situación por allá debía estar muy grave cuando echaban mano de un cartagenero para ese alto empleo. A su partida para Santa Fe, entró a reemplazarlo Gabriel Piñeres, que era el Vicepresidente, y allí se enardeció la pugna. Aunque la Convención eligió a Don Juan de Dios Amador como tercero en discordia, nada sería ya suficiente para impedir la explosión entre los dos bandos rivales.

Bolívar regresa derrotado

Mientras estos acontecimientos mantenían en vilo a la opinión pública, la situación en la línea del Magdalena continuaba deteriorándose, motivo por el cual, el ya Brigadier Castillo y Rada resolvió asumir directamente el mando de ese frente. Pero, pocos días antes de salir hacia allá, tuvo don Manuel una triste satisfacción, y fue la de ver llegar, a Cartagena, otra vez derrotado, a su antiguo rival, el caraqueño Simón Bolívar, cuya "Campaña Admirable", había quedado reducida a pavesas bajo el empuje de la reacción realista española en Venezuela. De este modo, el vaticinio de Castillo y Rada habíase cumplido, y todo el ejército granadino-cartagenero había sido sacrificado inútilmente, mientras que Santa Marta y Maracaibo permanecían en manos realistas. Castillo, recibió al caraqueño con fría urbanidad, que dejaba traslucir los viejos rencores que bullían en el pecho resentido, y que debieron avivar las pasiones en el alma volcánica del caraqueño.

Como es de suponerse, Bolívar estuvo en esa ocasión muy pocos días en Cartagena, y partió pronto, el 10 de octubre de 1814 para Santa Fe, donde debería justificar su conducta ante el Congreso. Castillo, por su lado, partía para la línea del bajo Magdalena.

Cae Napoleón: Fernando regresa a España

Mientras tanto, he aquí que en Europa ocurren grandes acontecimientos. De regreso de su frustrada campaña contra Rusia, Napoleón, antes de abdicar, y como medida diplomática, liberta a Fernando VII de su cautiverio, quien llega de regreso a Madrid en Mayo de 1814, y de una vez deroga la Constitución española aprobada en Cádiz en 1812. Poco después, el mismo Napoleón cae derrotado definitivamente en Waterloo, con lo cual, la situación de las colonias españolas en América toma un giro diferente. Pues si el Rey, a quien los americanos habían jurado fidelidad, ocupa ya su trono, ¿a qué insistir en separarse de la Madre Patria?

Esto fue, por lo menos, lo que pensaron entonces los chapetones, y ese fue también el argumento que el nuevo Virrey de la Nueva Granada, recientemente llegado a Santa Marta, Don Francisco de Montalvo y Ambulodi, le expuso al gobierno de Cartagena, en busca de una reconciliación; pero éste no se dejó fascinar por aquellos cantos de sirena, y respondió, entre otras cosas, que si Fernando había abrogado la Constitución, y los mismos españoles quedaban a merced de un Monarca absoluto, ¿qué esperanza podía caber de redención a los americanos?

No hubo, pues, avenimiento, entre las autoridades de Cartagena y Santa Marta, y las hostilidades prosiguieron, mientras que en España el Rey Fernando, decidido a reconquistar a sus díscolos vasallos del Nuevo Mundo, aparejaba una formidable expedición contra aquellos, al mando de un militar de vasta experiencia en las guerras napoleónicas: Don Pablo Morillo.

Más sucesos políticos

Pero ni con la noticia de tales preparativos, las pasiones banderizas de los cartageneros se apaciguaron. Al contrario, enloquecidos por una recíproca desconfianza, toledistas y piñeristas protagonizaron en los últimos días de diciembre de 1814, un bochornoso espectáculo, cuando, reunido el Colegio Electoral para reformar, -otra vez-, la Constitución, y elegir un nuevo Presidente del Estado en reemplazo de Torices, quien había viajado a Bogotá; y habiendo salido triunfante, -otra vez también-, García de Toledo, sobre Gabriel Piñeres, los partidarios de éste, descontentos con el resultado, clausuraron por la fuerza del consabido populacho piñerista las puertas del recinto, y mantuvieron encerrados a los Diputados hasta que éstos se plegaron a disponer que el poder fuera ejercido, no ya por un Presidente, sino por dos "Cónsules". Pero aquella solución, además de nula por haber sido arrancada por la fuerza, resultó inoperante, porque los mismos Cónsules elegidos, que lo fueron Toledo y Piñeres, eran ya enemigos irreconciliables.

Cartagena quedó, como es obvio suponerlo, estupefacta ante aquella ignominiosa jornada; y como los "Cónsules", no podían entenderse, ni menos actuar, sobrevino una situación de anarquía que el Brigadier Castillo y Rada resolvió cortar por lo sano, movilizándose con su ejército desde la línea del Magdalena, donde se encontraba, hacia la capital, "para vindicar, -según dijo en una proclama-, a la Augusta Representación atropellada por los escandalosos sucesos del infausto día 17 de diciembre".

Don Pedro Gual, Presidente

Ante el anuncio de aquella movilización, los Piñeres, que se atrevían a todo, resolvieron dar otro golpe; y en connivencia con el Capitán D'Elhuyar y otros oficiales del ejército, pusieron preso a García de Toledo, mientras que Gabriel Piñeres representaba la farsa de dejarse también apresar; y después de reunir a la legislatura del Estado a la brava, la obligaron a derogar el sistema de los dos Cónsules para volver al de un Presidente, y a elegir para este cargo a Don Pedro Gual, otro de los muchos venezolanos, pero este eminentísimo, que estaba a la sazón refugiado en Cartagena.

Castillo cruza el Rubicón

Pero Castillo y Rada estaba ya en camino, y todos los esfuerzos del Sr. Gual para impedir la guerra civil fueron inútiles. El ejército llegó a Turbaco, avanzó hasta Ternera, al día siguiente estuvo en La Popa, y, luego de un intercambio de fuegos con los piñeristas posesionados del Castillo de San Felipe, la vanguardia de Don Manuel entró en la Plaza, donde éste impuso su ley, y reinstaló a los toledistas en el gobierno. Lo primero que éstos hicieron fue expulsar hacia el destierro a los hermanos Germán y Gabriel Piñeres.

Era el 18 de enero del "año terrible", como se conoce en nuestros fastos al de 1815, en que todos, piñeristas o no, caerían juntos en pavoroso holocausto.

BOLIVAR SITIA A CARTAGENA

Con la expulsión de los hermanos Germán y Gabriel Piñeres, del Dr. Ignacio Muñoz (el Tuerto) y otros activistas principales del piñerismo, como D. Manuel Marcelino Núñez, los toledistas quedaron dueños del poder, y el orden fue restablecido.

Los Hermanos Piñeres

Los hermanos Piñeres amaban la independencia de modo entrañable, y eran patriotas hasta los tuétanos, de lo que dieron testimonio irrefutable poco después, cuando en Haití y en Venezuela entregaron sangre y vida por sus ideales de emancipación. Germán murió en Los Cayos, y Gabriel, junto con Vicente Celedonio, la esposa de éste y dos de sus hijos, cayeron peleando contra los españoles en la Casa Fuerte de Barcelona. Aquella noble pasión les hacía ver un traidor en todo aquel que no participara de sus procedimientos radicales, y los persuadía de que la Patria estaba en peligro si no eran ellos quienes estaban en el poder. Ellos fueron además, los verdaderos autores del Once de Noviembre; pero su temperamento fogoso y su extremismo político causaron daño a la naciente república con el hervor de las pasiones que su conducta desató en toda la Provincia y contribuyeron al derramamiento de mucha sangre.

Sea lo que fuere, lo cierto es que una vez tranquilizada la ciudad, el gobierno fue organizado: se nombró Presidente a D. Juan de Dios Amador y Comandante de la plaza al venezolano Mariano Montilla (que entonces era furioso antibolivariano), quedando como Jefe Supremo del Ejército el Brigadier Castillo y Rada. Pero todo eso trajo una consecuencia: Mompós, que seguía dominada por los piñeristas, cortó las comunicaciones de Cartagena con el interior del Reino, y se preparó para la resistencia armada. Tenían, pues, los Piñeres allí una carta por jugar. Y otra más: su amistad con Bolívar, quien alguna vez diría: "allí donde estén los Piñeres, esa será mi casa".

Bolívar contra Santa Marta

Efectivamente, como hemos dicho, el futuro Libertador había pasado nuevamente por Cartagena a fines de 1814, con dirección a Tunja, donde se proponía explicar y justificar su conducta y su derrota en Venezuela. Y el Congreso le oyó, y no solamente lo absolvió, sino que entonces le confió otra misión (la misma, por cierto, que Castillo y Rada había querido imponerle cuando los sucesos de Cúcuta): reconquistar a Santa Marta.

Mas, para expulsar a los realistas de esa plaza, no sólo se necesitaban hombres, que de estos había suficientes, sino armas, y las armas no las tenía sino Cartagena. Bolívar fue encargado entonces de obtener en esta ciudad esos recursos. Pero aquí volvía a plantearse el mismo conflicto de Cúcuta, porque ni Don Manuel del Castillo, ni los dirigentes toledistas, estaban dispuestos a desprenderse de un solo fusil para armar a Bolívar, cuya amistad con los Piñeres era bien conocida. Un documento, caído en manos de Castillo por aquellos días, vino a robustecer aquel recelo. Era una carta, escrita desde Mompós por don Vicente Celedonio Piñeres a su hermano Gabriel, donde, entre otras cosas, le decía, hablando de Bolívar: "Tiemble Castillo, y tiemblen sus secuaces a la entrada sola en el Estado (de Cartagena) de este incomparable hijo de Colombia, y nuestro amigo".

Una ofensiva diplomática

No fue necesario más. El toledismo tocó a rebato sus campanas y se puso en pie de guerra contra Don Simón. Todo fue inútil, en efecto, para que Cartagena le entregara a Bolívar las armas que necesitaba para liberar a Santa Marta. Ni hábiles maniobras diplomáticas, ni la injerencia de un comisionado del gobierno central, ni promesas melifluas de Bolívar, de ponerse por encima de las facciones, ni amenazas, fueron capaces de ablandar a la oligarquía cartagenera, que retenía con avaricia su parque y sus pertrechos so pretexto de que apenas eran suficientes para la defensa de la ciudad; pero que, en el fondo, lo que temía era el regreso del partido piñerista al poder por intermedio de Bolívar. Una guerra de hojas volantes, de proclamas y de agravios se desató entonces entre los toledistas y el Libertador.

Bolívar avanza sobre Cartagena y la sitia

Comprendiendo que era inútil insistir por las buenas, éste no tuvo más alternativa entonces que avanzar sobre Cartagena; y desde Turbaco, donde acampaba, avisó al gobierno de Amador sus intenciones de "no sufrir más tiempo la desobediencia general, la ruina del Ejército y los ultrajes a mi persona". Poco tiempo después, el día 26 de marzo de 1815, ya estaba en La Popa, donde montó su cuartel, y sus tropas iniciaban un bloqueo riguroso de la plaza, que duraría casi mes y medio.

Temía, sin embargo, Bolívar, empeñarse en una sangrienta acción fratricida, y resolvió reiniciar, desde aquella colina, otra ofensiva diplomática. Escribió a Amador diciéndole: "Yo cederé en todo, seamos amigos, unámonos, esta es mi única condición".

Silencio: la sombra de los hermanos Piñeres se cernía sobre la ciudad y dejaba sin efecto aquellas palabras de conciliación. Y luego, otra carta: "No me obligue esa plaza a manchar nuestras armas con la sangre de sus hijos. No es justo que las últimas reliquias de Venezuela vengan a perecer en una lucha nefanda".

Tampoco hubo respuesta. Y, más adelante, el día 11 de abril, otra nota más: "Deseo, primero, que cesen las hostilidades; segundo, que olvidemos todo lo que ha pasado; tercero, que seamos amigos...". Y después de considerar los estragos de una guerra civil, Bolívar traza estas palabras patéticas: "Esta consideración me estremece, y concibo que es más útil dejar de tomar a Santa Marta que forzar a Cartagena a auxiliar nuestra expedición"

Bolívar abandona el país

Y fue lo que hizo: teniendo ya noticia de que la expedición "pacificadora" comandada por Don Pablo Morillo había levado anclas en Cádiz y se dirigía hacia Venezuela y la Nueva Granada; agotada su paciencia y su capacidad de negociación y avenimiento para convencer al régimen toledista y al Brigadier Castillo y Rada de que le entregase las armas que necesitaba, y sintiéndose débil para atacar solo a Santa Marta, tomó la resolución de abandonar el campo a los que tan testarudamente se empeñaban en negarle apoyo y amistad. Y así, el día 9 de mayo de 1815, el caraqueño bajó de La Popa y se embarcó, hacia Kingston, en el caño de Bazurto, a bordo del bergatín inglés "La Descubierta", desde donde notificó su partida a Amador con estas palabras: "el suceso que es el asunto de esta comunicación, no es un sacrificio, sino un triunfo para mi corazón. El que abandona a su país para ser útil, no pierde nada: gana cuanto le consagra...".

Los restos del Ejército de Bolívar, que al principio quedaron al mando del General venezolano Florencio Palacio, erraron durante un tiempo por la región y luego se dispersaron catastróficamente.

Castillo y los toledistas estaban satisfechos: habían destruido a los Piñeres, y se habían quitado de encima a Bolívar. Pero iban a expiar su pecado teniendo que enfrentarse, solos, a Don Pablo Morillo.

Don Juan de Dios Amador, Presidente de la Junta de Gobierno de
Cartagena a la llegada del Pacificador Morillo.

EL SITIO DE MORILLO

La hora suprema

Ausente Bolívar, los gobernantes de Cartagena se sintieron momentáneamente aliviados; pero pronto se dieron cuenta de su insensatez, porque estaban solos para defenderse de la expedición pacificadora del General D. Pablo Morillo, que ya había llegado a Venezuela. El Gobernador D. Juan de Dios Amador inició entonces una serie de medidas desesperadas: decretó un empréstito forzoso de 40.000 pesos; requisó joyas y monedas; hizo fundir el célebre sepulcro de plata de los agustinos, que Luis XIV había devuelto después del saqueo de Pointis; envió a D. Pedro Gual a Washington, a D. Ignacio Cavero a Kingston, al Coronel Tomás Montilla a Santa Fe, todos en busca de auxilios... que nunca vendrían. Se llegó incluso a sugerir que, vista la importancia de la plaza, de la que todo el Nuevo Reino dependía, el gobierno central de las Provincias Unidas se trasladara a Cartagena, como habría sido deseable, y como lo habían hecho antes los Virreyes en las guerras del siglo anterior, para hacerle frente, desde aquí, al común enemigo. Pero nada de esto obtuvo resultados. El cronista santafereño José María Caballero nos revela en su "Diario de la Independencia", que, a esas horas, en Bogotá se limitaban a "hacer velación a Nuestro Amo en la Capilla, por el buen éxito de las armas de Cartagena, que la tienen sitiada los españoles...".

El crimen de la Inquisición

Mientras tanto, muchos de los piñeristas desterrados a Jamaica regresaron a Cartagena, con pasaporte del Sr. Cavero, para ayudar a la defensa de la plaza, donde finalmente fueron recibidos con un tardío abrazo de reconciliación; pero también volvieron a incurrir en odiosos excesos, como fue el crimen que algunos miembros de ese partido cometieron asesinando cobardemente a varios oficiales españoles que se hallaban presos en las cárceles de la Inquisición y que hacían parte de la tripulación de una fragata española, la "Neptuno", recientemente apresada por los patriotas cerca a Cispata. Aunque D. Manuel del Castillo y Rada trató de hacer justicia por el abominable delito, éste quedó a últimas impune, e hizo entrar en furor, no sin razón, a Morillo, cuando tuvo conocimiento de semejante atrocidad.

Las velas pacificadoras

Por fin, las temidas velas "pacificadoras" aparecieron por el horizonte el día 20 de agosto de 1815, y ya el 22 el bloqueo marítimo de Cartagena era completo. Pero por tierra no era menos riguroso. Desde Santa Marta, a donde había llegado desde el 23 de julio anterior, Morillo había despachado dos expediciones militares: una hacia Mompós y Sabanas, al mando del Coronel Ruiz Porras: y otra, vía Sabanilla, Malambo, Sabanalarga, etc., que finalmente vino a estacionarse en Mamonal, sobre la bahía, capitaneada por Francisco Tomás Morales. Morales era un hombre tan cruel que Morillo lo llamó "el terror de los malvados americanos". El mismo D. Pablo desembarcó al norte de Cartagena, en la playa de Guayepo, y se trasladó a la Hacienda de Torrecilla, cerca de Turbaco, desde cuya altura podía observar, con su catalejo, todas las operaciones de su ejército, por mar y tierra. Y con él, como capellanes de su ejército, venían también los viejos Inquisidores...

Don Pablo Morillo

Pero, ¿quién era D. Pablo Morillo? Sus biógrafos refieren que era un hombre de extracción humilde, nacido cerca de la ciudad de Toro, en España. A los 13 años sentó plaza de soldado, y así, bajo las banderas del Rey, unas veces en la infantería, otras en la Armada, fue ganando uno por uno sus galones de oficial, hasta que con motivo de la guerra contra Nàpoleón, le tocó pelear tan incesante como valerosamente, hasta culminar su carrera como general. Era, pues, un militar en toda la línea. En sus "Memorias", O'Leary dice de él que "parecía forjado en el mismo molde de los Corteses y los Pizarros". No era, pues, un desconocido, ni un improvisado el enemigo que Cartagena tenía por delante. Pero también Morillo sabía la clase de fortaleza que tenía que conquistar, conocía bien sus secretos estratégicos, y no sería tan necio como para empeñarse en una acción directa contra una plaza a la que la misma España había hecho inexpugnable: la rendiría, sin disparar muchos tiros, por hambre.

Los efectivos realistas

Y podía hacerlo, pues sus fuerzas eran enormes: en el mar, contaba con 59 barcos, a cuyo bordo venían exactamente 10.612 veteranos, repartidos en 6 batallones de Infantería, 2 Regimientos de caballería, 2 Compañías de artilleros, un Escuadrón volante de a caballo, un grupo especial de Ingenieros militares, y todo género de víveres y pertrechos.

El jefe de la Escuadra marítima era, por su parte, un aristocrático marino cubano, habanero, D. Pascual Enrile, quien por muchos años había patrullado con sus barcos las aguas del Caribe, y conocía bien a Cartagena.

Los efectivos de Cartagena

La ciudad contaba por su parte con unos 2.600 veteranos, a los que luego se agregaron unos 1.000 milicianos de entre 17 y 70 años, llamados bajo el rigor de la ley marcial; en sus muros había 360 piezas de artillería pesada, de todos los calibres, y mucha pólvora y municiones. Además, los patriotas tenían, en las Sabanas de Corozal y de Tolú, unos 700 hombres, al mando de Martín Amador, hermano del Gobernador D. Juan de Dios; pero sobre el mar, es decir, dentro de la bahía, no contaban sino con una flotilla compuesta por una sola corbeta, llamada "Dardo", que era propiedad de un comerciante y marino curazaleño llamado Luis Brion; 7 goletas y balandras armadas en guerra, y comandadas, casi todas, por corsarios extranjeros al servicio de la república, más unos cuantos bongos y lanchas cañoneras. Estas fuerzas navales estaban bajo el mando supremo del Gral. Juan N. Eslava, español y pariente del antiguo Virrey Eslava, del capitán, también español, y al servicio de Cartagena D. Rafael Tono; y del corsario francés Louis Aury.

Con estos elementos, la defensa se organizó del siguiente modo: la Plaza quedó bajo el mando Supremo del Brigadier D. Manuel del Castillo y Rada; la Artillería lo estaba bajo el del comandante D. Juan Bossa, español; en La Popa, se puso una guarnición de 400 hombres al mando del venezolano Gral. José Francisco Bermúdez, a quien acompañaban en esa hora varios oficiales que se destacarían luego con luces propias y perfiles heróicos: Antonio José de Sucre, Santiago Stuart, Carlos Soublette y Francisco Piñango, cada uno de los cuales escribiría, con hazañas, su propia historia.

En el Castillo de San Felipe de Barajas, se instaló una guarnición de 500 hombres, al mando del Gral. Florencio Palacio, el mismo que había recibido las tropas abandonadas por Bolívar en el mes de mayo anterior.

En el Castillo de San Fernando de Bocachica no fue posible estacionar sino unos 80 hombres, y varios vecinos de Tierra Bomba, que quedaron al mando del mercenario extranjero Coronel Doucoudray-Holstein.

En la Batería de San José de Bocachica y del Angel San Rafael, se pusieron unos 100 hombres, al mando del comandante venezolano Pedro León Torres, y del Coronel peruano José Sata y Bussy.

La Puerta de Tierra de la Media Luna quedó defendida por el célebre Pedro Romero, héroe de la jornada novembrina; el Arsenal y el Reducto, por el propio Comandante de la flotilla, Gral. Eslava; en la Boca del Puente, hasta San Pedro Mártir, otro español, D. Manuel Anguiano, ingeniero militar; en la Tenaza, D. Manuel Marcelino Núñez; en los baluartes de la Marina, los oficiales Teniente de artillería Eugenio Leyera, el Capitán del Regimiento Fijo

Juan Salvador de Narváez y el Capitán José Martínez Lozano; en San Ignacio, hasta la Boca del Puente, para cerrar el círculo de las murallas, el Comandante D. Lázaro María de Herrera; y por último, en la ciénaga de Tesca, quedó de guardia el Capitán Tono, con una flotilla sutil.

Tierra arrasada

A lo anterior, debe añadirse que, en desarrollo de una absurda política de tierra arrasada, a la que por cierto se opuso sin éxito Castillo y Rada, los patriotas cometieron el error de incendiar todas las poblaciones circunvecinas, incluso Turbaco; de modo que cuando la vanguardia de Morillo penetró en el país, no fue encontrando sino ruinas calcinadas de haciendas y pueblos arrasados por el fuego. Con el agravante de que todos los moradores de la comarca vinieron a refugiarse en la ciudad, con lo que se complicó hasta el máximo la situación de aprovisionamientos, pese a que buena cantidad de reses pudieron ser arreadas con tiempo para ser luego beneficiadas, saladas y embarriladas dentro de los muros, incluso el ganado caballar. Aquella medida insensata fue el fruto de la tendencia, que ya se iniciaba entre nosotros, de imitar a los extranjeros, y aquí se quiso repetir la táctica, inadecuada en nuestro clima, de los ejércitos rusos frente a la invasión napoleónica.

Los gladiadores estaban, pues, en la arena, y cada uno en su lugar de combate. El tiempo haría lo demás. Y el tiempo corrió, en efecto, mientras que las provisiones iban escaseando.

Las primeras fintas

Las primeras semanas del sitio transcurrieron en relativa tranquilidad. Ninguno de los contendores se atrevía al ataque. Los defensores de Cartagena discutieron largamente sobre la posibilidad de una "salida" estratégica y sorpresiva, pero terminaron por abstenerse, en previsión de un contra-ataque de las tropas españolas, aún frescas; y los realistas, por su parte, limitaron su acción a cerrar el cerco terrestre, en un amplio arco que tenía como extremos a Sabanalarga y Arjona, poblaciones en donde, además de Turbaco, establecieron sus hospitales; así como a practicar brillantes despliegues militares en las proximidades de La Popa, como para que los cartageneros viesen con quiénes iban a entendérselas. De vez en cuando, dejaban intimaciones y proclamas clavadas en árboles o estacas.

Morales golpea

Pero un día, Morales y su gente salieron de Mamonal, se tomaron el puesto de Pasacaballos, y de allí saltaron a Barú, en donde pusieron una cabeza de puente. Era una primera carta de triunfo para los españoles, que buscaban apoderarse de la bahía. Más adelante lo lograrían, cuando los patriotas trataran de cruzar aquella isla, con fuerzas combinadas de mar y tierra, para cogerse una fragata española llamada "Ifigenia", que se hallaba en Santa Ana, averiada. En esta operación, los cartageneros serían lamentablemente derrotados, con grandes pérdidas, y en su ejército, desmoralizado, se iniciaría desde entonces un movimiento subversivo, que complicaría más el cuadro de la situación, destinado a dar en tierra con el Comandante de la Plaza, Castillo y Rada, y traer nuevamente al partido de los Piñeres al poder. Poco después, Morales saltaría a la otra orilla de la bahía, se apoderaría de Caño de Loro, y dejaría así cortadas las comunicaciones de Cartagena con los castillos de Bocachica.

Suicidio de Sanarrusia

Mientras tanto, el hambre empezaba ya a atenazar a los cartageneros, pues debido a sus disputas internas, no habían tenido tiempo de cuidar, con la debida anticipación, el adecuado abastecimiento de la plaza. Morillo ha bloqueado toda posibilidad de aprovisionamiento, y la comida escasea. Unos bongos, cargados con víveres y municiones, que alcanzan a avanzar por el Canal del Dique, al mando del Capitán Francisco Sanarrusia, son detenidos por una patrulla realista, y Sanarrusia, después de combatir tan brava como inútilmente, se suicida, al verse perdido.

Sólo de vez en cuando, entre las sombras nocturnas, algunas naves corsarias logran salir hacia Jamaica en busca de alimentos y socorros; pero ¿lograrían regresar?

Caída de Castillo y Rada

Los piñeristas se agitan. Hay que cambiar al Comandante Castillo y Rada, de quien recelan que podría entregarse a Morillo. Y un día, exactamente el 17 de octubre, casi a los dos meses de haberse iniciado el sitio, dan el golpe. Actuando en connivencia con los muchos venezolanos refugiados y combatientes en la ciudad, ponen preso a Castillo, y proclaman al General José Francisco Bermúdez como Comandante de la Plaza sitiada. El piñerismo está de nuevo en el poder; pero ¡a qué precio, y en qué circunstancias! Los hechos, sin embargo, justificaron aquel cambio, pues D. Manuel en sus declaraciones ante los jueces que lo mandaron luego al cadalso, declaró haber tenido intenciones de entregar a Cartagena.

El General José Francisco Bermúdez

¿Mejorará este cambio la suerte de Cartagena? Bermúdez era, según dijo años después Bolívar, "un hombre que poseía en el más alto grado, valor, desprendimiento, actividad, celo y talento militar"; pero el General O'Leary, en cambio, lo calificó, en sus Memorias, como "un hombre sin educación, brusco en sus modales, feroz por inclinación, y muy inconstante". ¿Sería el hombre para aquella situación? La verdad es que en el estado en que se hallaba Cartagena, Bermúdez, con todos sus posibles defectos era mucho mejor que el vacilante Castillo y Rada. Y con el piñerismo nuevamente en el mando, no había peligro de defección, porque a ese partido no se le podía sospechar de debilidades ante el enemigo. Su lema era "libertad o muerte".

Sino fatídico

No obstante, la suerte de Cartagena parecía ya sellada por un sino fatídico: aquel año, los acostumbrados temporales de octubre y el conocido "cordona-zo" de San Francisco parecieron aliarse con el Rey de las Españas para agobiar a sus descarriados súbditos cartageneros. Lluvia, mares de leva, vientos del sur, hambre y enfermedades, todo parecía confabularse para decretar la pérdida de Cartagena, y un silencio de muerte llenaba sus plazas, sus calles y sus viejas casonas, mientras que desde el cielo caía el agua, implacable. Desde las olas, la flota enemiga vigilaba, y allá en las colinas de Turbaco, el impasible Morillo oteaba la presa próxima a caer.

En su abandono del resto del Reino, y en su desesperación, los cartageneros llegaron a proyectar una unión con el imperio inglés y así se lo hicieron saber al Gobernador de Jamaica, pero los ingleses dieron carpetazo a esta propuesta.

"No estando Piñango vivo": el triunfo en la Popa

Un hecho brillante, una hazaña increíble vino, sin embargo, en aquellos momentos, a tonificar la descaecida moral de los patriotas: en La Popa, los españoles son destrozados y obligados a retirarse en tropel, y humillados. Era, en efecto, el día 11 de noviembre de 1815, y Morillo, astutamente, había calculado que en la noche de aquel día, memorioso para los cartageneros, sería tal vez oportuno, y sin duda simbólico, caer sobre los que defendían la sagrada colina. Y una columna de 800 hombres escogidos, al mando del Teniente Coronel Maortúa empezó, con sigilo, a subir, en las horas de la madrugada, por los flancos del cerro. En un momento dado, alcanzaron la cima. "Ya son nuestros, ¡Viva el Rey!", se cuenta que dijo entonces el Capitán realista que dirigía la operación; a lo cual un oficial venezolano, Francisco Piñango, que hacía, somnoliento, la guardia en el parapeto, respondió, sobresaltado: "¡No estando Piñango vivo!", y de un tajo hirió mortalmente a su enemigo. De allí en adelante, se empezó el combate cuerpo a cuerpo, mientras las granadas españolas reventaban en el altozano del monasterio. Pero "en menos de tres cuartos de hora, -nos cuenta D. Lino de Pombo, en su interesante relato de estos sucesos, de los que fue testigo-, la acción había concluido al sonoro grito de "¡Viva la Patria!", y los asaltantes descendían precipitadamente, en derrota, bajo el mortífero cañoneo de las baterías del Castillo de San Felipe, dejando tendidos los cadáveres de muchos de sus compañeros, al pie de las escarpas, y en un largo espacio de las faldas adyacentes: el bravo Maortúa quedó exámine a la orilla del foso".

Otros triunfos patriotas

El triunfo de la Popa fue, pues, completo. Y a él se sumaron otros dos combates victoriosos para las armas patriotas: uno en la punta interior de Tierra Bomba, donde Morales había construido un pequeño fuerte al que le dio, precisamente, el nombre de Maortúa; y otro en la ciénaga de Tesca, donde el Capitán Tono batió a los realistas en las dos ocasiones en que trataron de penetrar, con embarcaciones menores, por la Boquilla.

Los horrores del hambre

Mas, por desgracia, aquellos no eran ya sino los últimos estremecimientos de un cuerpo que estaba en agonía. El hambre y la peste hacían ya estragos entre los cartageneros. "En la plaza, -nos dice un testigo, el Coronel de Rieux-, no quedó un solo cuadrúpedo que no se empleara para la subsistencia; las ratas, las hierbas que jamás persona humana había mirado como útiles para alimento... los cueros al pelo... las sabandijas, todo se consumió para sustento de aquella desgraciada población". Los cartageneros eran ya espectros ambulantes, y muchas veces, -comenta otro testigo-, al reconocer las guardias "encontraban que los centinelas habían expirado en sus puestos".

Para colmo, llegó la noticia de que Martín Amador y Pantaleón de Germán Ribón habían sido derrotados y caído presos, con su gente (y con un auxilio de 80.000 pesos que por fin había llegado de Bogotá, por la vía de Antioquia) en una desgraciada acción cerca de la población de Chimá sobre el río Sinú. Todo estaba consumado.

Bombardeo final

Cartagena no podía ya resistir ni un momento más. A fines de noviembre de 1815, la peste y el hambre hacían estragos espantosos y cerca de 300 personas morían diariamente en la ciudad: era como una batalla perdida cada 24 horas. Sabiéndolo, el Pacificador quiso agravar aquella situación con fuego y hierro, ahora sí, para forzar la rendición de la plaza obstinada, e inició, desde sus naves, colocadas frente a Santo Domingo, un intenso bombardeo que duró todo el día 30 de noviembre, y en el que no sólo hubo muchas víctimas, sino que numerosos edificios quedaron averiados por el impacto de más de 300 bombas. ¿Qué hacer? Era la pregunta que se venía a la mente de los infelices cartageneros.

¿Rendirse? ¿Suicidarse? ¿Emigrar?

Juntas sobre juntas se llevaban a cabo a esas horas, en el Palacio de Gobierno. Se esperaban víveres, que nunca llegaban, y mientras unos querían prolongar, siguiera por unos días más la resistencia, otros empezaron a sugerir soluciones definitivas. En esa hora terrible, García de Toledo fue el más radical de todos, quizá para borrar la sospecha que los piñeristas arrojaban permanentemente sobre su conducta, de debilidad con el enemigo: propuso volar la ciudad con explosivos, y morir entre sus ruinas. Pero primó la tesis de la emigración. Sin rendirse ni capitular, la ciudad sería abandonada por sus defensores ya prácticamente exhaustos.

Un primer éxodo, de ancianos, mujeres y niños, salió primero por tierra, por la puerta de Santa Catalina, sin rumbo cierto, aunque en dirección a las ciénagas. Morillo les hizo saber que, conforme a las reglas de la guerra, podía hacerlos regresar a la ciudad; pero luego, por conmiseración, que debe abonársele, los dejó salir, para que corrieran su propia suerte, y muchos escaparon; pero los más murieron de inanición entre los montes.

La emigración por el mar

Los demás se lanzaron al mar. Y fue así como en la tarde del 5 de diciembre, más de 2.000 cartageneros salieron por la "Boca del Puente", para embarcarse en las naves corsarias del comodoro Aury, que los aguardaban en la playa del Arsenal, cabe los baluartes de Baraona y Santa Isabel, y entregarse a los azares del mar, sin rumbo conocido, en la gran aventura de la emigración. "Nada de provisiones de boca, ni aun de suficiente agua", nos dice D. Lino de Pombo, quien iba entre los emigrantes. Pasada la media noche, la escuadrilla se dio a la vela, pero sin concierto, pues en la prisa de la evacuación, no se convino un adecuado código de comunicaciones entre las naves.

De este modo, pasó aquella doliente caravana lo más alejada en lo posible de las baterías realistas establecidas en Tierra Bomba, aunque no sin sufrir el fuego de éstas, con pérdida de algunas vidas; y después de recalar por algún tiempo en Bocachica para embarcar allí la guarnición de los castillos, los peregrinos zarparon nuevamente, hacia lo desconocido, tratando de salvar la barrera de la flota enemiga al amparo de la oscuridad, lo que felizmente lograron, no se sabe bien si por fortuna suya, o si por negligencia benévola de los sitiadores.

Pero el destino de los que así salieron de Cartagena, dejando a sus parientes y amigos moribundos, fue trágico. Unos encallaron, y serían presos, en las mismas islas del Rosario; otros caerían en las costas de Panamá y de Cuba; otros recalarían en San Andrés y Providencia, donde serían abandonados a su suerte por los infames corsarios; otros fallecerían durante la navegación; otros más llegarían, después de dramática odisea, en la que se comieron incluso el cuero de los baúles, hasta Jamaica, para encontrarse con que allí no les dejarían poner pie en tierra; otros, en fin, lograrían arribar, con mejor suerte, a los Cayos de Saint Louis, en Haití, donde muchos, como Pedro Romero, como Germán Piñeres, rindieron la última jornada. El resto se uniría con Bolívar para caer en los campos de batalla de Venezuela. Muy pocos regresarían a su ciudad natal.

Mientras tanto, Cartagena quedó en manos del Coronel D. Manuel Anguiano, un ingeniero militar español.

Morillo entra a Cartagena

Cuando Morillo y sus tropas entraron al recinto de Cartagena, no hallaron sino un pavoroso cuadro de ruinas, muerte y desolación. El propio "Pacificador" describió aquella escena con estas palabras: "La ciudad presentaba el espectáculo más espantoso a nuestra vista. Las calles estaban llenas de cadáveres que infestaban el aire, y la mayor parte de los habitantes se hallaban moribundos por resultado del hambre". Por otra parte, el Comandante de la Escuadra sitiadora, D. Pascual Enrile, comunicó a sus superiores: "No es posible que pueda expresar a V.E. el estado horroroso en que se ha encontrado a la ciudad... Han muerto de hambre más de dos mil personas y las calles están llenas de cadáveres que arrojan una fetidez insoportable". Un sobrino de Enrile, el Capitán D. Rafael Sevilla, que entró a Cartagena como oficial de las tropas pacificadoras, recordó, años después, en sus "Memorias" que los cartageneros sobrevivientes "no eran hombres, sino esqueletos... que se agarraban a las paredes para no caerse...". Y añadió que "el mal olor era insoportable, como que había muchas casas llenas de cadáveres en putrefacción, y que lo primero que hizo Morillo, una vez dueño de la plaza, fue ordenar que se abriese una gran fosa para enterrar aquellos montones de cadáveres, los cuales eran sacados por carretadas de las casas; pero como el zanjón que se hizo no pudo contenerlos a todos, "hubo que llevar a muchos en piraguas para arrojarlos al mar". El Cirujano Mayor del ejército pacificador mandó a cada casa una vasija con ingredientes de fumigación para desinfectar aquellas habitaciones "antes espléndidas, y ahora tan asquerosas, y la ciudad se cubrió con el humo de aquel sahumerio". Finalmente, un inglés, que por casualidad entró a Cartagena como prisionero de Morillo, llamado Michael Scott, refirió más tarde en un libro de recuerdos titulado Tom Grigle's Log, las escenas más espeluznantes que presenció al llegar al recinto amurallado, cuando vio cómo, cerca a la puerta Principal, "los cadáveres de un viejo y dos niños se descomponían bajo el sol, mientras detrás de ellos un desdichado negro, ya agonizante, procuraba espantar con una palma a los gallinazos que se disputaban aquella carroña...".

Suerte de los emigrados

Pero si la suerte de los cartageneros que se quedaron en la ciudad fue trágica, no lo fue menos la de los emigrantes por el mar. El primero que no pudo escapar a su destino fue el irlandés Santiago Stuart, de 27 años apenas, cuyo barco encalló en las islas del Rosario, y fue apresado, para caer luego en el banquillo de los fusilamientos. Al golfo de Urabá llegaron las goletas "Concepción" y "Estrella", donde los emigrados se encontraron con el corsario "Federico", en donde venían los conocidos hermanos Carabaño; y, después de revivir allí, en esa hora y en ese sitio, las viejas rivalidades entre piñeristas y toledistas, todos murieron por igual en la aventura, a manos de los indios del Atrato, menos los de la goleta "Estrella", que logró llegar trabajosamente a las costas de Haití. La fragata "Americana", en cuya cubierta murió de hambre el Coronel Sata y Bussy, recaló al fin en la costa de Veraguas, y allí sus 63 ocupantes, de los cuales 12 murieron de inanición en el puerto llamado "El Mineral", fueron puestos presos y conducidos a Cartagena. Los emigrados del "Cometa", entre ellos Juan de Dios Amador, Juan Salvador de Narváez y Manuel Benito Revollo, fueron robados, expoliados y finalmente echados a tierra sin conmiseración en la isla de San Andrés por el infame corsario norteamericano que los transportaba. Suerte menos adversa, aunque no nada lisonjera, sufrieron los de las goletas "Constitución" y "Sultana", entre los que iba Vicente Celedonio Piñeres con su mujer e hijos, quienes después de borrascosa y prolongada navegación de casi un mes, llegaron por fin a Jamaica para encontrarse con que los ingleses no les dejaban echar pie en aquella isla; por lo que así, en aquellas condiciones desastrosas, tuvieron que seguir hacia los Cayos de Saint Louis, donde Pétion les ofreció su generosa hospitalidad. De estos últimos, unos fallecieron apenas desembarcaron; y otros, como los Piñeres, se fueron a Venezuela, a guerrear con Bolívar, y a encontrar alli todos la muerte, como ya dijimos, en la Casa Fuerte de Barcelona.

Balance e inventario finales

Las cifras que la historia ha recogido como balance de aquellos días de horror, son muy disímiles, según los testigos. Pero los cálculos hechos por el historiador Gabriel Jiménez Molinares, profundo concedor de la materia, hacen subir el número de víctimas cartageneras a 7.300, es decir, algo más de la tercera parte de la población, así: 6.300 durante el sitio, unos en acciones de armas, otros por fusilamiento, y la mayoría por efecto del hambre y las enfermedades; y, en fin, unos 1.000 más que no pudieron sobreponerse a sus quebrantos con inmediata posterioridad al pavoroso sitio. Entre los primeros, no es posible olvidar a los 400 bocachiqueros que, habiéndose acogido a una fementida proclama de indulto publicada por Morales, cayeron, sacrificados por éste, sin fórmula de juicio, a la orilla del mar; ni a los leprosos de Caño de Loro a quienes hizo quemar, con crueldad infinita: crímenes estos tan espantosos, que deslustraron el triunfo alcanzado por Morillo, a quien, no obstante, el Rey de España premiaría más tarde por esta hazaña militar con el título nobiliario de "Conde de Cartagena".

Por su parte, el Pacificador, si victorioso, no quedó tampoco muy bien librado del bélico episodio: 1.825 soldados europeos, que eran la flor de su ejército, y 1.300 venezolanos realistas que lo acompañaban, cayeron también en la aventura, lo que hace una pérdida total de 3.125 hombres; pero tenía el caudillo español, además, unos 3.000 enfermos en el momento del triunfo. Muchos historiadores están de acuerdo por eso en que si Cartagena, dejando a un lado sus reyertas intestinas, hubiera logrado aprovisionarse a tiempo y adecuadamente, para poder resistir siquiera un mes más, Morillo, como le ocurrió al Almirante Vernon en 1741, habría tenido tal vez que levantar el sitio.

Así, trágicamente, concluyó la aventura iniciada con tanta alegría el Once de Noviembre de 1811, que hoy los cartageneros celebran en forma tan despreocupada y frívola como incongruente con la gravedad del suceso. Morillo encontró en la plaza, y se apoderó en seguida de ellos, nada menos que 366 cañones, y más de 9.000 bombas, 3.400 quintales de pólvora, y cerca de 4.000 fusiles.

EL FUSILAMIENTO DE LOS NUEVE MARTIRES

La paz reinó por fin en Cartagena, pero era la paz de los sepulcros. No obstante sus proclamas esperanzadoras, donde se entremezclaban promesas y amenazas, el Pacificador, que venía furioso por muchos motivos, entre otros el de los crímenes de la Inquisición, inició en seguida un verdadero régimen de terror. Fusilamientos en masa se llevaron a cabo en la Plaza de la Merced, sin que se haya podido conocer los nombres de todos los allí sacrificados. Un sistema de delaciones fue puesto en práctica, y gracias a él fue infinito el número de los prisioneros, y de los procesados por el crimen de "infidencia" o deslealtad al Rey. Pero, ante todo, importaba mucho hacer un escarmiento por lo alto, y para ello, pronto empezó a ponerse en marcha una maquinación que culminaría con la pena capital para un grupo de dirigentes de la ciudad.

Se inicia el proceso

En efecto, a fines de diciembre, exactamente el día 25, el Cabildo de Cartagena solicitó al Capitán General del Nuevo Reino (después Virrey) D. Francisco de Montalvo, quien también había entrado a la ciudad con Morillo, un indulto general para todos los presos que colmaban las cárceles locales; y, paradójicamente, esta fue la base que vino a servir para organizar un proceso con todas las apariencias y formalidades de la legalidad, pero mañoso y precipitado, cuya finalidad última estaba ya convenida de antemano.

Los primeros "reos de insurrección", señalados en una lista elaborada por el propio Morillo, eran 17; pero por diversas circunstancias y razones, ese número fue reduciéndose poco a poco. Por ejemplo: el Capitán Rafael Tono, pasó a ser juzgado por la Comandancia de la Marina, de cuyo fuero gozaba, y con esto salvó milagrosamente su vida. Pero los nueve últimos fueron juzgados breve y sumariamente.

La sentencia

El encausamiento fue decretado en firme el 9 de enero de 1816, y en seguida fueron llamados a declarar 21 testigos; el día 16, el Fiscal Bierna y Mazo informa que los reos están ya en capacidad de ser juzgados al instante; del 17 al 25 se lleva a cabo la indagatoria; del 26 al 5 de febrero siguiente, se procede al careo de sindicados y testigos; ese mismo día 5 queda perfeccionada la parte sumarial del proceso y se nombran los "defensores", cuyos alegatos son

Coronel Gabriel de Torres y Velasco. Gobernador de Cartagena durante los años de la pacificación (1816 - 1821) y último defensor del imperio español en el territorio de la Nueva Granada.

presentados a marcha forzada (no obstante lo cual, hay algunos de gran habilidad, y elegantemente escritos, como el de Ayos, el de García de Toledo y el de Díaz Granados). El 18 es nombrado el Consejo de Guerra, y el 19 se reúne éste por primera vez en la propia casa del nuevo Gobernador de la ciudad, que lo era ya el Brigadier D. Gabriel Torres y Velasco. Al día siguiente, o sea el 19, se dicta sentencia: "Todo bien examinado, -dice este documento- ,...el Consejo ha condenado y condena a los referidos Manuel del Castillo y Rada, Martín Amador, Pantaleón Germán Ribón, Santiago Stuart, Antonio José de Ayos, Joseph María García de Toledo y Miguel Díaz Granados, a la pena de ser ahorcados y confiscados sus bienes, por haber cometido el delito de alta traición. Y condena el Consejo a D. Manuel Anguiano a ser pasado por las armas, por la espalda, precediendo su degradación... y finalmente se condena a José María Portocarrero a la misma pena de ser ahorcado y confiscados sus bienes...".

Recurso negado

El fiscal Sr. Bierna y Mazo produjo entonces un dictamen según al cual debería suspenderse la ejecución de la sentencia "hasta dar cuenta a Su Majestad"; pero fue negado el recurso. Algo más: Montalvo encerró materialmente a los jueces en su despacho, y les arrancó la decisión final de proceder de inmediato a la ejecución de la sentencia. Tuvo, por lo menos el gesto de conmutar, por el fusilamiento, la pena de la horca, que era considerada como infamante para el reo.

El fusilamiento

Los 9 mártires fueron sacados de sus diferentes cárceles, y llevados al cadalso el día 24 de febrero de 1816. No se sabe exactamente cuál fue el sitio, ni la hora en que aquellos paladines de la independencia cayeron por la Patria, como tampoco si fueron fusilados todos al mismo tiempo o por grupos separados. Tradicionalmente se ha creído que fueron sacrificados juntos, y contra la muralla, frente a la ciénaga de la Matuna; pero el único testimonio escrito que queda de aquel episodio sangriento, el del inglés Michael Scott, ya mencionado atrás, parece indicar que las ejecuciones se hicieron por grupos separados, y que tuvieron lugar, no ya al pie de la muralla, como se ha creído, donde el acceso era difícil por el agua que se interponía, sino contra un muro (el original inglés dice textualmente ""dead wall") que aún quedaba en pie de una de las edificaciones que entonces existían sobre lo que hoy es precisamente el Camellón de los Mártires, y que Morillo había mandado abatir apenas entró en Cartagena, por considerarlas un peligro para la ciudad.

Los cadáveres de los supliciados fueron arrojados en unas carretas, y echados en una fosa común, en el entonces incipiente Cementerio de Manga, motivo por el cual no se conservan sus restos.

Crítica histórica del proceso

Sobre el proceso de los mártires, y con base en las confesiones, parcial y maliciosamente aprovechadas, de algunos de ellos, se ha tratado, en tiempos ya recientes, de arrojar baldón sobre la memoria de estos beneméritos de la Patria, y fundadores de nuestra nacionalidad.

Es cierto que los mártires, para defenderse, y con la legítima esperanza de salvar la vida, mintieron en sus declaraciones, y se presentaron no sólo como víctimas del gobierno piñerista, que los forzaba a combatir al Rey, lo que en algunos casos no era totalmente infundado, como pasó con García de Toledo y con Ayos; sino como traidores en potencia y partidarios del Rey: tal fue el caso lamentable de Castillo y Rada; pero la verdad es que los hechos, y el recuerdo reciente de sus actuaciones, desmentían aquellas alegaciones, y prueba de ello es que los jueces no les creyeron y, al contrario, los condenaron a ser ejecutados, sin contemplaciones. Es particularmente digno de mención el caso de Santiago Stuart, quien preguntado por sus acusadores por qué no se había pasado a los realistas de Santa Marta siendo que, como él afirmaba, ya se había desilusionado del gobierno republicano de Cartagena, contestó altivamente: "porque añadir mi nombre a la lista de los que desde Coriolano, hasta el presente, se han pasado al enemigo, habría sido un motivo de ignominia que me habría obligado a llevar existencia miserable a trueque de la vida, perdiendo el honor, que es lo único que la hace valer".

En todo caso, cualquiera que sea la opinión que tales declaraciones nos merezcan, debe tenerse en cuenta que aquellos hombres no habían nacido para héroes, sino que eran simples mortales, comunes y corrientes, algunos de los cuales se habían visto involucrados en la revolución por fuerza de las circunstancias. Como dijo Ayos, muy gráficamente, en su alegato: "mi actuación en aquellos sucesos muchas veces fue como la de quien, incendiada su casa, no se atreve a abandonarla, sino que entra en ella para apagar el fuego".

La sangre por ellos derramada en aras de la Patria, debe inspirar, por lo menos, un silencioso respeto a su memoria.

LOS AÑOS DE LA PACIFICACION

Con la entrada de los realistas y su severa represión, una nube de silencio se cierne sobre el cielo de Cartagena.

Nuevas autoridades

La vida material va, sin embargo, renaciendo poco a poco, y la nueva organización administrativa empieza a funcionar. Morillo se ausenta a fines de enero de 1816 hacia el interior del Reino, y deja dicho que "si el Rey quiere subyugar a estas provincias, las mismas medidas se deben tomar que al principio de la Conquista", o sea: la cruz y la espada. En su lugar, y para aplicar aquella receta, queda el Capitán General D. Francisco de Montalvo y Ambulodi, quien unos pocos meses más tarde sería elevado a la categoría de Virrey; y con esto, Cartagena se convierte, otra vez, en la Capital del Virreinato, por más de dos años. El nuevo Gobernador, es, como dijimos atrás, el Brigadier D. Gabriel Torres y Velasco, funcionario ilustrado y relativamente benévolo, de quien los cartageneros de su época guardaron buen recuerdo, como lo acredita el Gral. Joaquín Posada Gutiérrez en sus "Memorias", y pese a que le tocó, como Gobernador, firmar la sentencia de muerte de nuestros mártires. El Alcalde de la ciudad lo es el Coronel D. Eduardo Llamas, residente de vieja data en la plaza. Y uno de los Inquisidores, que ya se han instalado de nuevo en su vieja sede, D. José Odériz y Sarralde, es encargado del Obispado, que se hallaba vacante.

El Gobernador Torres y Velasco

Pero la ciudad yace en completa ruina. El gobernador Torres y Velasco, en célebre "Memorial" elevado al Rey, describe aquella pavorosa situación con los más tristes colores, y sugiere algunas medidas, que, desde luego, no se tomaron sino en mínima parte, para remediar la situación, entre las cuales recomienda la supresión de los estancos de aguardiente y de tabaco, para que la agricultura, libre de trabas, se reanime. Pero todo es inútil, porque las necesidades de la guerra exigen con urgencia cada vez más dinero, obtenido de cualquier modo; y los cartageneros, a quienes según expresión del propio Sr. Torres, "no les había quedado otra cosa que los ojos para llorar sus desventuras", tienen que soportar otro empréstito forzoso, y la recolección, a la brava y por fuerza de las armas, de toda la moneda llamada "macuquina" acuñada por los "insurgentes", que tenía una cantidad de plata inferior a la moneda de ley: operación esta que llevó a la ruina a los pocos que aún conservaban restos de su pasada riqueza, y que Torres asegura haber llevado a la práctica a regañadientes, y contra su voluntad.

Renace la esperanza

Todo esto, y las noticias de las infinitas crueldades que el ejército invasor español continuaba cometiendo en el interior del Reino, terminaron, en el curso de poco tiempo, por enajenar del todo, si no la buena voluntad, por lo menos la tolerancia con que en Cartagena se había visto el restablecimiento del régimen colonial que, al menos, había traído consigo la tranquilidad y el orden. Pronto hasta los espíritus más displicentes y timoratos que habían vacilado en la hora de la reconquista, e incluso los oportunistas, que no faltaron, y que se habían sumado al carro de la victoria pacificadora, se fueron poniendo del lado de la causa patriota, cuya luz parpadeaba en las profundidades de la Guayana, del Orinoco y de los Llanos inmensos, en las manos de Bolívar. El sentimiento de Patria, aquilatado por el sufrimiento, renace entonces con vigor, y cuando menos pensaban las autoridades coloniales, los centauros llaneros caían inesperadamente sobre los campos de Boyacá, en donde, como dijo exacta y bellamente el Dr. Rafael Núñez en las estrofas del Himno Nacional, "el Genio de la Gloria, con cada espiga un héroe invicto coronó", porque allí, efectivamente, "soldados sin coraza ganaron la victoria: su varonil aliento de escudo les sirvió". Aterrado, el Virrey Sámano desciende entonces apresuradamente de los Andes, y corre a refugiarse en Cartagena, único bastión solitario, pero aún poderoso y amenazante, que le va quedando a España en el territorio granadino.

Mas ya era tarde: detrás de Bolívar, viene la riada patriota. Córdoba y Maza se apoderan del Magdalena, y preparan así la aproximación del ejército libertador, que llega, jadeante y haraposo, pero cubierto de gloria, ante los sacros muros cartageneros. Y se inicia así para nuestra ciudad un nuevo sitio, el más largo de todos, el de Montilla, el de la reconquista patriota, que duraría un año y tres meses consecutivos.

LA LIBERACION DE CARTAGENA

El sitio de Montilla en 1821

El día 14 de julio de 1820, Cartagena quedó rodeada de fuerzas patriotas al mando del General venezolano Mariano Montilla. Había pasado casi un año desde la Batalla de Boyacá. Pero aquel sitio era apenas terrestre, porque los colombianos, -ya podemos llamarlos así-, carecían de una flota que pudiera llamarse tal. Se iba a iniciar el asedio más prolongado entre todos los que la ciudad sufriera en su larga y sangrienta historia.

La revolución de Riego

Mas, para comprender mejor los sucesos que vamos a narrar, precisa trasladarnos a España, donde acontecimientos de la mayor trascendencia para la suerte de nuestra guerra de emancipación van teniendo lugar. Allí, en la Madre Patria, gran parte de la opinión pública se ha puesto del lado de los patriotas americanos, porque comprende muy bien la renuencia de éstos a rendir de nuevo vasallaje a un rey como Fernando VII, que ha repudiado la Constitución de Cádiz, y reasumido el poder absoluto. Esa opinión es, además, opuesta a una nueva expedición marítima que se prepara en Cádiz a zarpar hacia el Nuevo Mundo en socorro de Morillo, fatigado ya después de cinco años de continuos combates. No es por eso extraño que un día, el 1 de enero de 1820, el General Rafael Riego, uno de los oficiales expedicionarios, se insurreccionara, y después de proclamar la vigencia de la abrogada constitución gaditana, avanzara hasta Madrid, donde obligó al Rey a readoptarla. La segunda expedición pacificadora quedó así disuelta, y una nueva política, la de la conciliación, se inicia para tratar de salvar el imperio por las buenas. Todo lo cual tendría efecto inmediato en la suerte de las antiguas colonias, y en el desarrollo de la guerra que estaba en marcha.

Los realistas intentan una reconciliación

En efecto, un día de 1820, estando ya Cartagena cercada por las fuerzas patriotas, el General Montilla recibió una nota del comandante de la Plaza y gobernador de Cartagena, Brigadier Torres y Velasco, invitándolo a parlamentar; pero Montilla contestó que no oiría ninguna propuesta, "mientras Usía no me entregue esa Plaza en que se encuentra encerrado". Torres se dirigió entonces al propio Bolívar, quien a la sazón acababa de llegar del interior del país a un pueblecillo formado sobre el río Magdalena, por navegantes y mercaderes de toda la región, llamado La Barranquilla, que se manifestaba por cierto muy adicto a la causa patriota, y que ahora va a empezar a figurar, -¡y en qué forma!-, en la Historia de Cartagena. Bolívar recibió aquella nota, y viendo que se trataba de algo importante, se trasladó enseguida a Turbaco, para iniciar desde allí un cruce de notas con el jefe español. Mas todo al fin se frustra, pues la verdad es que no estaba en las intenciones del Libertador someterse de nuevo a la coyunda y ni siquiera a una decorosa dependencia de España. Además, estaba ensoberbecido por sus recientes triunfos, y la respuesta que da al Gobernador de Cartagena al final de una larga serie de notas, es un torrente de agravios, y no sólo contra el propio Torres, sino contra la nación y el pueblo españoles, a los que trata de caducos y corrompidos. Aquello debió caer como un latigazo en el rostro del pundonoroso oficial español. El cual, sacando fuerzas de flaqueza, y después de publicar una encendida proclama, organizó in continenti una "salida" de sus tropas en dirección a Turbaco, con el ánimo de vengar aquella afrenta, y acaso con el secreto propósito de apoderarse de la persona del Libertador.

La salida del Regimiento de León: matanza en Turbaco

Esa fue la memorable y sangrienta expedición punitiva que se conoce con el nombre de "la salida del Regimiento de León", efectuada el día 1º de septiembre de 1820, y que, después de desembarcar sigilosamente, entre las sombras nocturnas, en Cospique, se internó por las montañas de Maparapa y cayó sorpresivamente sobre Turbaco, en donde hizo una carnicería pavorosa. Allí caen más de cien patriotas, muchos de ellos inocentes, asesinados unos en el atrio de la iglesia, como es el caso de D. Juan de Arias, signatario del Acta de Independencia absoluta, y otros que se han refugiado allí, con sus mujeres y sus hijos, en el interior del templo. "La sangre, -dijo en el parte de estos hechos el General Montilla-, corrió por todos los altares...". Luego, los chapetones se apresuran a refugiarse de nuevo entre los muros de Cartagena.

Pero Bolívar, llevado ciegamente por Hados benévolos, ha salido esa misma noche de Turbaco, y no puede ser atrapado.

Armisticio temporal

La política de conciliación y avenimiento, iniciada por los españoles, no se interrumpió, sin embargo, por aquellos sucesos. En los meses siguientes, siguieron otras gestiones en el mismo sentido, pero a más alto nivel, que dilataron la caída de Cartagena en manos patriotas. Siguiendo instrucciones de Madrid, Morillo mismo celebró con el Libertador en la ciudad venezolana de Trujillo, un armisticio, para suspender temporalmente las hostilidades y regularizar la guerra. Se llevó a cabo entonces el célebre "abrazo de Santa

Ana", en donde los dos caudillos tuvieron una momentánea reconciliación, e incluso se abrazaron y durmieron bajo el mismo techo. Pero cada uno de los dos titanes sabía hacia dónde iba. Morillo, decepcionado, regresaría a España en breve, dejando sus fuerzas al mando de otros oficiales menos hábiles y capaces que él; y Bolívar encontraría en aquella tregua una ocasión feliz para prepararse al asalto final.

Padilla entra en acción

En efecto, a fines de enero de 1821, se rompieron de nuevo las hostilidades. Y, en el frente de Cartagena, se presentó de seguido una gran novedad: una flotilla de 43 embarcaciones sutiles, al mando del General José Padilla, penetró por el Canal del Dique a la bahía de Cartagena.

De este modo, el sitio de la plaza se reanimó y se hizo cada vez más riguroso, pues Padilla cortaría pronto las comunicaciones de aquella con Bocachica. Los socorros marítimos fueron suprimidos, y la situación de los españoles empezó a deteriorarse cada vez más, porque los víveres les empezaban a escasear.

Sin embargo, todavía habría que esperar varios meses para que estos realistas, atrincherados en Cartagena, se entregaran a los colombianos. La plaza era inexpugnable, esto lo sabían ambos ejércitos, y ninguno osaba atacar al otro; pero Montilla y Padilla no ignoraban que el tiempo corría en su favor.

La "Noche de San Juan"

Al fin, los colombianos se deciden a dar un golpe. Y es entonces, avanzado ya el mes de junio de 1821, cuando se libra en las aguas de nuestra bahía una batalla naval, no por pequeña menos significativa, que en la historia cartagenera se conoce como "la Noche de San Juan", porque tuvo lugar en la del 24 de junio.

Efectivamente, aquella noche, Padilla da el manotazo definitivo, realizando la hazaña de raptarse, de debajo de los fuertes de la plaza, toda la escuadrilla que los españoles tenían al amparo de los baluartes del Reducto, Santa Isabel y Barahona; y de echar a pique, además, al bergantín "Andaluz".

La operación se realizó silenciosa y sorpresivamente, a la media noche, y la acción se convirtió pronto en un combate cuerpo a cuerpo, que fue fulminante, pues en él murieron más de cien realistas, entre los cuales algunos hijos del país, y, según el parte de Padilla, quedaron en poder de los patriotas nada menos que 11 barcos (sutiles) de guerra, con sus piezas correspondientes, 66 fusiles y 12 barriles de pólvora. Por curiosa coincidencia, esta victoria naval tuvo lugar el mismo día en que la suerte de Venezuela se jugaba, en favor de los colombianos, en los campos de Carabobo.

Torres capitula: Cartagena es liberada

Después de este combate, la situación de la plaza se hizo cada vez más precaria y, sintiéndose abandonado de su gobierno, el Brigadier Torres terminó por aceptar una capitulación, que los colombianos concedieron en las condiciones más generosas, como la de poder emigrar con armas y bagajes, y en buques colombianos.

De esta manera, el ejército libertador ocupó a Cartagena el día 10 de octubre de 1821, mientras que en el Castillo de San Felipe era arriada la bandera rojo y gualda, para que ascendieran hacia el cielo los colores de la oriflama tricolor.

LA REPUBLICA

LA EPOCA DE LA GRAN COLOMBIA

Cartagena era libre al fin, sí, pero... ¡a qué precio! La ciudad yacía en ruinas después de doce años de incuria, guerra y bombardeos; las familias próceras hallábanse diezmadas, o habían emigrado; la mayor parte de sus dirigentes había caído en la empresa libertadora; su comercio era insignificante; su población se había reducido a la mitad, y hasta sus fortalezas comenzaban a desmoronarse. Sin hipérbole podía, pues, decirse, que la ciudad se había sacrificado, como holocausto, en aras de la patria. Esto no era una metáfora; y de nadie mejor que de ella habrían podido predicarse en aquella hora las palabras que unos años más tarde, ya al momento de morir, pronunciaría el propio Bolívar: "El único bien que hemos conquistado es el de la libertad, pero a costa de todos los demás".

Un viajero francés, el señor G. Mollien, quien llegó a Cartagena en el año de 1823, dejó la siguiente descripción de la ciudad tal como se ofrecía a la vista de propios y extraños en aquellos días, y que es como una fotografía. Dice: "Cartagena ofrece el aspecto lúgubre de un claustro: largas galerías, columnas bajas y pesadas, calles estrechas y sombrías... la mayor parte de los edificios sucios, ahumados y ruinosos; y adentro, una población de seres más sucios, más negros y más pobres aún...: tal es el cuadro que presenta, a primera vista, esta ciudad, decorada con el nombre de la rival de Roma".

Vida vegetativa: surge Barranquilla

De allí en adelante y durante todo el siglo XIX, Cartagena llevaría una vida apenas vegetativa y cada vez más precaria. Aunque en las primeras décadas de dicho siglo alcanzaría a recobrar algo de lo que había sido su antigua importancia comercial, todo aquello se consumiría en las turbulencias de nuevas guerras, pero ya de carácter intestino, que volverían a aniquilar aquellos esfuerzos de relanzamiento económico. Además, un hecho nuevo se presentaría, que habría de darle golpe mortal: el florecimiento y auge comercial de "La Barranquilla", pequeño puerto situado a la orilla de un caño del Río Magdalena, a unas cuatro leguas del mar, que vendría a convertirse, por necesidades del comercio cuando Cartagena y Santa Marta guerreaban entre sí, en terminal de aquella gran arteria fluvial: fue como un tercero en discordia.

En efecto, ya desde tiempos muy remotos, desde el mismo siglo XVI, el comercio de Cartagena había establecido a orillas del río varias "barrancas", o sea atracaderos de canoas y depósitos para el trasbordo de las mercancías. Se trataba de establecimientos comerciales, sin pretensiones de ciudad ni pueblo que el gobierno organizaba directamente, como fue la llamada "Barranca del Rey", próxima a la actual población de Calamar, o que otorgaba en concesión a particulares, como fueron la de Mateo Rodríguez, la de Martín Polo, la de Mendoza, cerca a Malambito, la de Malambo, la del Capitán Julio Evangelista y la del Convento de Santo Domingo. Como se ve, eran facilidades portuarias escalonadas, que iban desde la embocadura del Canal del Dique, casi hasta el mar, y que los comerciantes utilizaban según que el transporte se hiciera por tierra, por el Canal del Dique o por las Bocas de Ceniza. Una de estas, la más próxima a la desembocadura del gran río, fue la que se conoció con el nombre de "La Barranquilla", para distinguirla de la "Barranca de Malambo", que le quedaba cerca, un poco más al sur.

Pues bien: "La Barranquilla" era tan insignificante, que durante toda la época colonial no hay constancia documental, ni se recuerda de ella sino el hecho de que en 1744, un tal Lorenzo Téllez, por comisión que le diera el Virrey Eslava, practicó en ese lugar y otros de la región de Barlovento una reducción de indígenas y de gentes que andaban esparcidas por el monte. Pero durante la guerra de emancipación, aquella humilde aldea, que ya se conocía con el nombre de "San Nicolás de Barranquilla", por ser el patrono de la parroquia, y posiblemente en memoria de Nicolás Barros, quien había sido dueño y encomendero de aquella comarca, empezó a convertirse en un centro mercante de importancia, por donde el comercio del país se canalizaba hacia el Caribe, cosa que facilitaba la posibilidad, entonces existente, de navegar desde el río hasta el mar por el llamado "Caño de la Piña". Con el curso de los años, esta situación se iría consolidando, y ya veremos cómo aquella modestísima "barranquilla", prácticamente ignorada de cartageneros y samarios, absorbería por completo la vida económica de ambas ciudades, dejándoles únicamente la que pudiera derivarse de la actividad burocrática o militar, y de una pobre agricultura de sustentación. Como diría años más tarde otro escritor francés, D. Louis Striffer en su obra "El río San Jorge", "Barranquilla nació con el firme propósito de arrebatarle el comercio a Cartagena y Santa Marta".

Este proceso, sin embargo, no se cumpliría de un solo golpe, y mientras tanto los cartageneros supérstites de la ordalía independentista, sin sospechar lo que se le venía encima a su ciudad, trataban de reiniciar el interrumpido hilo de su historia como centro mercantil, creyendo que aquella volvería a ser, como antes, la "reina de los mares".

Los primeros años independientes

Los primeros años de nuestra vida independiente fueron, pues, una etapa como de readaptación a las nuevas circunstancias imperantes en el país, pero siempre con el arma al brazo, porque la independencia no estaba aún asegurada, y todavía habría que pelear. Además, Cartagena no era ya solamente la cabeza de su provincia, sino que en la reorganización jurisdiccional que se le había dado a la Gran Colombia, se había convertido en la capital de toda la costa atlántica, que en adelante, y por algunos años, formaría una sola entidad político-administrativa llamada "Intendencia del Magdalena e Istmo". Su gobernador pasó a llamarse "Intendente". Y aunque toda la región costanera se hallaba empobrecida, aquello le imponía nuevas responsabilidades que, teóricamente al menos, debían compensarla de su ruina material. No es raro que, por lo mismo, nuestra ciudad fuera teatro, en aquellos años, de numerosos episodios y conmociones sociales, que pasamos a relatar suscintamente.

La Batalla de Maracaibo

Aunque librada en aguas relativamente alejadas, la batalla naval del Maracaibo pertenece también a la historia de Cartagena, y dentro de ella debe mencionarse, pues no solamente se cumplieron aquí los preparativos navales para aquel hecho de armas, sino que el personal que en él actuó fue preponderantemente cartagenero.

La expedición

En efecto, hacia el mes de abril del año de 1823, el General José Padilla, que tan lucida actuación había tenido en la liberación de Cartagena, se dirigió hacia el lago de Maracaibo, que había vuelto a manos realistas, y de nadie menos que del tristemente famoso Morales. Su flotilla estaba compuesta así: una corbeta, la "Constitución"; cuatro bergantines, el "Bolívar", el "Marte", el "Esperanza" y el "Independencia"; cuatro goletas, la "Atrevida", la "Espartana", la "Emperatriz" y el "Terror"; y tres flecheras menores. Llevaba, como segundo al que en ocasión anterior había sido su jefe, al Capitán Rafael Tono, quien conocía palmo a palmo las costas venezolanas, y en particular las del lago de Maracaibo, por haber participado, durante años, en el levantamiento topográfico que de ellas hizo la célebre expedición Fidalgo. Le acompañaban además, varios militares extranjeros, como Renato Beluche, Nicolás Joly, y Walterio De Chity. Pero el grueso de la tripulación y de las fuerzas de combate se componían de voluntarios cartageneros.

A principios de mayo la flotilla recaló en "Los Taques", en la costa exterior del golfo, y desde allí, el día 7 de dicho mes, se lanzó a la aventura de penetrar en el lago, para lo cual era preciso, ante todo, forzar la barra de entrada, y desafiar los fuegos del Castillo de San Carlos, que la protege. Esta operación, aunque arriesgada, se cumplió felizmente, con la sola pérdida de un bergantín.

Toma de Maracaibo

Luego vino el desarrollo de una serie de operaciones navales, que duraron dos meses, durante las cuales las dos flotillas, la colombiana y la española, encerradas en desafío a muerte dentro del lago, empezaron a perseguirse recíprocamente, como en un juego del gato y el ratón. En un momento dado, Padilla desembarcó en Maracaibo, dispuesto a reconquistar la ciudad en combates cuerpo a cuerpo y calle por calle, como lo hizo; pero la flotilla realista seguía surcando las aguas del gran lago, y, algo peor, había sido reforzada por otras naves, al mando del experimentado Capitán D. Angel Laborde.

Era, pues, necesario acabar de una vez, y dar una batalla decisiva.

La batalla naval

Esto fue lo que se cumplió en la fecha gloriosa del 24 de julio de 1823, cuando la flotilla colombiana, aprovechando tiempo favorable, se desprendió del puerto de Maracaibo y, con velas desplegadas, se fue dejando llevar por el viento, sin disparar un solo tiro, contra las naves españolas, hasta tocar sus penoles. En ese momento, se desencadenó un nutrido fuego de artillería y de fusilería, y luego se inició el abordaje. El bergantín "Independiente", en que iba Padilla, atacó y rindió al "San Carlos"; el "Confianza", abordó a una goleta; el "Marte" se apoderó de varios bajeles enemigos, y la "Emperatriz" tomó e incendió espectacularmente el bergantín "Esperanza". El humo de las explosiones oscureció el escenario, y por doquier caían muertos y heridos mientras los gritos de guerra resonaban en el aire.

Los testimonios que nos han quedado de aquella acción de armas, en la que se derrochó valor por ambos bandos, dicen que en esa ocasión las aguas del lago se tiñeron de sangre y se cubrieron de cadáveres: pero, en pocas horas, todo había terminado. Los españoles perdieron 473 hombres y dejaron más de 400 prisioneros. Casi todas sus naves quedaron en manos colombianas. En cambio las pérdidas patriotas fueron reducidas, pero Padilla y Tono quedaron ambos heridos aunque no de gravedad.

Los cartageneros regresaron más tarde en triunfo a la patria nativa.

Bolívar de nuevo en Cartagena

En junio del año de 1827, siendo Intendente el Dr. José María del Real Hidalgo, cuya larga actuación como gobernante en los años de la revolución novembrina, y luego como diplomático de Colombia en Londres, le habían convertido en consumado estadista, llegó nuevamente a Cartagena el Libertador Simón

Bolívar. Regresaba de Caracas, a donde había viajado después de muchos años de ausencia, para cosechar, por fin, los laureles del triunfo que le ofrecía su patria nativa; y, de paso, para resolver el conato separatista de Venezuela, maquinado por el General José Antonio Páez.

Cartagena, que había repudiado en varias Actas las maniobras de Páez, recibió esta vez al Libertador entre arcos y palmas de triunfo. Y, olvidada ya de aquellas disenciones intestinas que habían dado lugar a la resistencia de la ciudad ante sus tropas en 1815, le brindó una hospitalidad acogedora, alojándolo en la propia casa de la Gobernación, y con una proclama en la que, entre otras cosas, le decía: "Desde que os vieron, los cartageneros os amaron. Cuando apenas vuestro nombre era conocido, ellos lo respetaban... ellos fueron los primeros que os presagiaron que estábais destinado por la Providencia para ser el Libertador de América...".

Todas las autoridades se deshicieron en esos días en atenciones para el héroe. El General Padilla le ofreció un agasajo en su casa, en la Calle Larga. Y Bolívar, agradecido por aquellos homenajes, contestó en una ocasión a los brindis con estas palabras, algunas de las cuales pueden verse grabadas en el pedestal de la estatua ecuestre levantada en su honor en 1885: "La recepción que hoy me habéis hecho, ha colmado mi corazón de gozo. Vuestra benevolencia se ha excedido en demostraciones del más puro amor para conmigo: yo no esperaba tanto, porque no me debéis nada, cuando por el contrario, yo os debo todo. Si Caracas me dio vida, vosotros me dísteis gloria. El valor de Cartagena y de Mompós me abrió las puertas de Venezuela el año doce... Vuestra fuerte ciudad ha salvado la Patria: vosotros sois sus libertadores; algún día Colombia os dirá: " ¡Salve Cartagena redentora!".

Conjura, prisión y fusilamiento del General Padilla

Poco tiempo después de haber partido el Libertador de Cartagena, tuvo lugar en esta ciudad una insensata revuelta militar, encabezada por el General Padilla, que vino a acabar injustamente con su vida, en el cadalso.

Sucedió, en efecto, que, acabada la guerra de Independencia, los muchos militares que quedaron cesantes en el país, empezaron a rivalizar entre sí. Y en Cartagena esta pugna se polarizó alrededor del Intendente General del Departamento, General Mariano Montilla, y del vencedor de Maracaibo, General José Padilla, cuya flotilla, dicho sea de paso, ya había dejado de existir. La pugna entre los dos personajes se explicaba, siendo ambos héroes de la guerra emancipadora: el uno, Montilla, era militar, venezolano, blanco y aristócrata "mantuano"; y el otro, Padilla, era marino, pardo y de origen humilde. Ambos emulaban, además, en la búsqueda del afecto preferencial del Libertador. Ahora bien, esta rivalidad se había trasmitido de diferentes modos a los jefes y oficiales de ambos cuerpos del ejército, y de este modo vinieron a acumularse en Cartagena, según dice Posada Gutiérrez en sus "Memorias", todos los elementos de antagonismo, "sin contar el de ricos y pobres, con que plugo a Dios hacer de la especie humana la más feroz de todas las especies creadas".

Los hechos partieron de una "Exposición", redactada por los cuerpos armados de la Plaza, dirigida a la Convención de Ocaña, que ya estaba reuniéndose, en demanda de ciertas prerrogativas y exenciones para los militares en general. Algunos jefes se negaron, sin embargo, a firmar aquel documento, por lo que fueron mirados como sospechosos, con lo que creció la recíproca desconfianza entre unos u otros, y de esto tomaron pie Padilla y la gente que a su alrededor se había aglutinado, para apoyar a los que no habían firmado y para promover alborotos; y Montilla por su parte, encontró un buen pretexto para tratar de alejar a Padilla de la línea bolivariana ortodoxa. El mismo Padilla, que por lo mismo que bravo, era hombre elemental, cometió el error, excitado por los malos consejeros, de salir de noche por las calles, amenazando a las autoridades y atemorizando a los ciudadanos. Algo más: Padilla exigió del Comandante de la Plaza, que en ese momento era el Coronel José Montes, que dejase el mando, y Montes, después de intentar una conciliación, cometió la debilidad de ceder y de separarse del cargo, en el cual fue colocado el Coronel Juan Antonio Piñeres.

Montilla entonces se aprovechó de la coyuntura; y desde Turbaco, donde se encontraba, se declaró en el ejercicio de la Comandancia, y dio órdenes reservadas para que aquella misma noche, el 5 de marzo de 1828, todos los batallones de la guarnición de Cartagena se le unieran en aquella población, lo que se llevó a cabo al amanecer, quedándose en la Plaza tan solo Padilla y los oficiales que no habían firmado el famoso documento, origen de la revolución. Confiado en su popularidad, el General Padilla trató entonces de soliviantar a la población cartagenera; pero no tuvo éxito, en vista de lo cual, resolvió más bien salir discretamente de la ciudad, y dirigirse por la vía de Tolú a Ocaña, para exponer su caso y el de Montilla, ante aquel cuerpo colegiado.

Pero el resultado de aquellas gestiones del vencedor en Maracaibo, fue el de presentarlo ya ante toda la nación como antibolivariano, cosa que no era absolutamente cierta, pues que su movimiento no pasaba hasta entonces de ser una ocurrencia local, y dirigida específicamente contra Montilla; y no habiéndole dado el resultado que deseaba, el General, frustrado, retornó a Cartagena ingenuamente, creyendo que Montilla se la iba a perdonar, o que tal vez el Libertador mediaría en la diferencia, como en realidad pensó hacerlo, sacándolo de Cartagena y nombrándolo Comandante General de Pasto. Sin embargo, Montilla, que era más astuto que él, y que buscaba perderlo, se le adelantó; y no había alcanzado a llegar a su casa de la Calle Larga en Cartagena, cuando el riohachero se encontró preso, y enviado bajo custodia hacia Bogotá.

Allí, en su cárcel de la capital, e ignorante de lo que ocurría en el exterior, le sorprendería la conspiración septembrina contra la vida del Libertador, en la que se le involucró injustamente, y fue fusilado de modo inicuo en la plaza de Bolívar, el día 2 de octubre de 1828.

El fusilamiento del Gral. José Padilla fue en realidad un verdadero asesinato legal; pero es preciso decir que el Libertador fue ajeno a aquella ejecución, de la que la historia ha culpado con exclusividad, a los Generales Montilla y Urdaneta.

Ultimo viaje de Bolívar a Cartagena: muerte del héroe

Después de renunciar a la Presidencia de la República, Bolívar resolvió expatriarse de Colombia, y con tal fin se dirigió a Cartagena. Todos sus amigos, y las autoridades, salieron a recibirle a Turbaco, a donde llegó el día 25 de mayo de 1830. Allí permaneció cerca de un mes, reponiéndose de las fatigas del viaje, que habían resentido aún más su ya deteriorada salud. El día 24 de junio, bajó a Cartagena, dispuesto a embarcarse en un pailebot inglés que debería conducirlo a Jamaica. "Su entrada en la soberbia ciudad, -dice Posada Gutiérrez en sus citadas Memorias-, fue como en sus mejores días: las ventanas y balcones se adornaron, las tropas fomaron honrando no al Jefe de la Nación, sino al primero de los Generales, al Libertador y fundador de la República. Por la noche, espontáneamente, una espléndida iluminación dio muestra de la nobleza del carácter de los cartageneros. Bolívar caído, pobre, proscrito, inspiró más simpatía, más respeto, más veneración que cuando, poderoso y vencedor, otras veces lo recibieron".

Mas no pudo el héroe abandonar, como se proponía, las playas de su patria colombiana. Una serie de acontecimientos desgraciados, entre ellos la avería del barco en que proyectaba viajar al exterior, lo obligaron a permanecer en Cartagena hasta septiembre; por lo cual, después de una corta temporada en casa del General Montilla, o sea en la antigua del Marqués de Valdehoyos, "pasó a instalarse, dice el Dr. Gabriel Porras Troconis, en una casa pajiza situada en la esquina del antiguo "Albercón" en lo que se llama el "Camino Arriba", en el Pie de la Popa, casa de propiedad de un caballero inglés de apellido Kingseller". Allí lo sorprendió la noticia infausta del asesinato de Sucre. "Dándose una palmada en la frente, -cuenta Posada Gutiérrez-, guardó silencio largo rato, y, hasta avanzada la noche, estuvo paseándose pensativo por el patio de la casa".

La dictadura de Urdaneta

Numerosos acontecimientos tuvieron lugar entonces en el país, que mantuvieron a la opinión pública colombiana con los ojos vueltos hacia Cartagena, por lo mismo que aquí estaba el Libertador. Y entre estos, el principal de todos fue la célebre insurrección de la División "Callao" en Bogotá, que dio en tierra con el gobierno legítimo que había dejado Bolívar establecido en la capital, y que presidían D. Joaquín Mosquera y D. Domingo Caicedo. Beneficiario de ese golpe militar, fue el Gral. Rafael Urdaneta. Gran parte de los colombianos pensaron en que el Libertador regresaría al poder, puesto que Urdaneta era su amigo, y se entendía que para ello había derrocado al gobierno legítimo; pero Bolívar mantuvo firmeza adamantina ante las solicitudes que de todas partes se le hicieron para que volviera a encargarse del mando, y, aunque no condenó el golpe, renunció pública y reiteradamente, desde Cartagena, a toda posibilidad de aparecer como usufructuario de aquel. Las autoridades de Cartagena, con Montilla a la cabeza, celebraron "Juntas de Guerra" y hasta reuniones populares numerosas, a las que asistieron las personas más respetables de la ciudad, y allí se redactaron manifiestos y solicitudes que le fueron presentados al Libertador por el Síndico Municipal, Dr. Juan García del Río, tratando con ello de constreñirlo a encargarse de nuevo del poder, con la halagüeña perspectiva de la definitiva salud de la Patria; pero la respuesta de aquel, desde la humilde casa de palma del Pie de la Popa en donde residía, fue siempre la misma: no. Y a un corresponsal, el Dr. Estanislao Vergara, que era el Ministro del Interior del dictador Urdaneta, le escribió desde allí sobre ese mismo asunto las siguientes palabras: "Si yo recogiese el fruto de esta insurrección, yo me haría cargo de su responsabilidad". Y añadía: "No puedo, mi amigo, no puedo volver a mandar más, y crea que cuando he resistido hasta ahora a los amigos de Cartagena, seré en adelante incontrastable... Yo estoy aquí renegando contra mi voluntad, pues he deseado irme a los infiernos para salir de Colombia...".

Y así fue: el 23 de septiembre, partió hacia Soledad y Barranquilla, donde permaneció hasta principios de diciembre. Pero, antes de salir de Cartagena, entregó todos los papeles de su archivo personal al comerciante francés avecindado en esta ciudad, D. Juan Pavajeau, para que se los llevara a París, hacia donde éste partía próximamente.

Pocos días después, el 17 de diciembre, el héroe de América moría en San Pedro Alejandrino, cerca de Santa Marta, bajo el alero hospitalario, ¡quién iba a decirlo!, de un caballero español.

EL SITIO DEL GENERAL IGNACIO LUQUE EN 1831

No se había aún repuesto Cartagena de la impresión que la muerte del Libertador y su reciente y prolongada visita a la ciudad le habían producido, cuando tuvo que hacerle frente a un nuevo y grave conflicto bélico: el sitio a que la sometió el General venezolano Ignacio Luque.

Era Luque, según cuenta Posada Gutiérrez en sus "Memorias", uno de aquellos jóvenes ignorantes, desalmados y de terrible arremetida, que abundaban a la sazón en el ejército colombiano, y a esa cualidad habían debido sus ascensos. En la batalla de Ayacucho, había recibido un balazo en la frente, que lo dejó "como alocado". Además, era aficionado a la bebida, y en una ocasión, en Bogotá, hallándose en estado de embriaguez, había incendiado una imprenta y realizado un "auto de fe" con sus periódicos. Restrepo, en su "Historia de la Revolución de la República de Colombia", añade que Luque "era Jefe propio para subalterno, valiente, pero sin talentos, disipador, sin reparar en los medios de adquirir, y que se dejaba arrastrar por los excesos de la bebida".

Montilla y De Francisco Martín

Cuando el General Urdaneta se declaró en el ejercicio del poder después de la insurrección del "Callao", Luque estaba en Cartagena, a las órdenes del General Montilla, que era Comandante de la Plaza: y el Prefecto (ya no se llamaban Intendentes) del Departamento del Magdalena, era don Juan De Francisco Martín. El señor De Francisco Martín era miembro distinguido de una vieja familia de comerciantes cartageneros que, establecidos en Kingston, habían escapado del turbión revolucionario independentista. Ahora había regresado al país; y Bolívar, que no guardaba rencores, se encantó con él, y tanto, que en su testamento lo nombró su albacea.

Revolución en Barlovento

Pues bien: a la muerte del Libertador, pronto se vio que Urdaneta no podría sostenerse fácilmente en el poder, y recrudeció la enemiga contra aquella administración considerada como intrusa, incluso en Departamentos como el del Magdalena, donde Montilla y De Francisco Martín eran fuertes, pero habían empezado ya a hacerse odiosos, porque se les consideraba como instrumentos de un gobierno ilegítimo.

Estalló entonces el 12 de febrero de 1831, una revolución en los pueblos de Barlovento, entre Sabanalarga, Soledad y Barranquilla; pero los verdaderos animadores de aquel movimiento estaban dentro de los muros de Cartagena, y, sospechándolo así, Montilla investigó, los descubrió, y de inmediato los expulsó de la ciudad. Entre estos se hallaban don Manuel Marcelino Núñez, Juan José Nieto y otros más. Al propio tiempo, Montilla envió hacia los cantones de Barlovento al General Luque, con órdenes de sofocar aquella insurrección.

Luque lo hizo; y el 20 de febrero, en una hacienda llamada "Sans-Souci", venció sin mucha efusión de sangre a los insurrectos, y se movió con celeridad hacia el río Magdalena, donde ocupó a Soledad y Barranquilla.

Traición de Luque: efectos del alcohol

Pero sucedió entonces lo inesperado. El día 6 de marzo, Luque fue invitado, en Barranquilla, a una comida, con algunos de los jefes vencidos, y no pocos de los expulsados de Cartagena, que en vez de ir a parar al destierro en el exterior, se habían desembarcado en Sabanilla. Y de aquella fiesta, en la que no fue ahorrado el alcohol, salió el infeliz General Luque convertido a la causa liberal y exclamando: "La revolución está hecha contra el Comandante General Montilla y el Prefecto De Francisco, y las tropas me proclaman por su Jefe, nombramiento que he aceptado". Algunos dijeron, según afirma Restrepo, que se le compró dándole dinero. Y el mismo Luque aseguró, en documento oficial, que "desde su salida de Cartagena, estaba inclinado a faltar a la confianza que Montilla había hecho en él".

Luque avanza sobre Cartagena

Sea lo que fuere, lo cierto es que, después de enviar por el camino varias intimaciones de rendición a su antiguo Jefe, ya el 17 de marzo Luque había cortado todas las comunicaciones terrestres de Cartagena y, -naturalmente-, tratándose de una revolución populista, había abolido casi todos los impuestos que pesaban sobre la población.

Al principio, las autoridades de Cartagena trataron con desprecio a Luque, creyendo que se trataba de una fanfarronada; pero luego se dieron cuenta de que la causa que había adoptado era popular, que las gentes le daban cuantos recursos necesitaba, y que su ejército no solamente se había acrecido hasta llegar a unos 1.200 hombres, sino que contaba con una flotilla de 18 buques menores, más la goleta "Zulia" y el pailebot "Meta", con los que iba a hacer daño por el mar.

El sitio

Y así se inició un nuevo sitio para Cartagena que, aunque poco cruento y más breve que otros, no dejó por ello de producir estragos, precisamente por la debilidad en que la plaza se encontraba después de tantos años de lucha y de pelea.

Luque se movió pronto desde Turbaco, en donde se había establecido, hacia Alcibia, y desde allí se apoderó de la Popa, en donde montó su Cuartel General, y a donde, no sin gran trabajo, logró subir varias piezas de artillería, con las cuales empezó a bombardear parcialmente a la ciudad, aunque sin mucha efectividad, por la distancia; mientras que en las aguas de la bahía, sus embarcaciones se apoderaban de cuanto buque venía con auxilios para la plaza. Esto dio lugar a una intervención extranjera, por parte del Cónsul inglés Eduardo Watts, y posteriormente a un desagradable incidente con las fragatas británicas "Hyacinth" y "Champion", que se hallaban en el puerto, pero, a pesar de que este asunto logró ser arreglado en parte, Luque siguió cometiendo todo género de tropelías y de locuras, llegando, en un rapto de demencia o de embriaguez, a intentar el ataque del Castillo de San Fernando de Bocachica con simples lanchas y canoas, lo que habría costado la vida a todos los atacantes, si no es por la benevolencia del Castellano, el Comandante Cárdenas, quien en aquellos osados expedicionarios quiso ver y vio a sus propios hermanos.

Nueva Independencia de Mompós

Las cosas, entre tanto, se complicaron políticamente, porque Mompós resolvió, en esos momentos de dificultad, independizarse otra vez de Cartagena, y declararse por el sistema federal. En efecto, esa ciudad, lo mismo que Santa Marta, soportaban mal lo que podría llamarse el "centralismo" de Cartagena, que había quedado siendo la Capital del gran Departamento del Magdalena, y del Istmo de Panamá, el cual comprendía toda la Costa Atlántica del país, hasta la Guajira y Costa Rica. Y los momposinos creyeron, lo mismo que en 1810, que había llegado la hora de sacudir lo que consideraban un yugo. Las fuerzas de Mompós se sumaron así a las de los sitiadores.

Convenio en el Pie de La Popa

Por otra parte, los alimentos empezaron a escasear en la plaza, cuyos moradores recordaban con horror el hambre sufrida en 1815, y no es extraño que un creciente descontento se apoderase pronto de las distintas capas de una población que ya fraternizaba con sus atacantes. Montilla y De Francisco vieron así corroída toda su autoridad, y después de varios intentos de parlamento y conciliación, que no dieron resultados, por fin, el día 23 de abril de 1831 se celebró, en el Pie de la Popa, un convenio entre los comisionados del General Luque, que fueron el Dr. José María del Real Hidalgo y el Coronel José María Vezga; y los de Montilla, que lo fueron el General Daniel Florencio O'Leary y D. Juan de Dios Amador.

En virtud de ese Convenio, Montilla y De Francisco se comprometieron a entregar el mando así: el militar, pasaría, obviamente, de Montilla a Luque; y el civil a manos del Dr. Manuel Romay. Se estipuló, además, que nadie sería perseguido, que se devolverían las propiedades confiscadas y devueltos los correos interceptados de parte y parte; y que se expediría decreto convocando una Convención. Sobra decir que Luque no cumplió ninguna de estas condiciones, y que lo primero que hizo fue expulsar a Montilla, O'Leary, Aldercreutz y otros militares del séquito de aquel. Y tampoco fue convocada la Convención.

La verdad es que en aquella oportunidad, como lo afirma D. José Manuel Restrepo, en su "Historia de la Revolución de la República de Colombia", Montilla no fue vencido por la fuerza, sino por la opinión pública, que le quitó el piso en que se sostenía. Desgraciadamente, la Plaza cayó en manos de un hombre de conducta errática y desarreglada como Luque, que nada tenía de liberal, pero quien, sin embargo, le hizo a la Nueva Granada el servicio de arrancar el poder y los recursos militares de Cartagena de las manos de sus propios compatriotas, los venezolanos y demás extranjeros que la poseían.

EL CASO BARROT

Un hecho de particular importancia por sus implicaciones políticas e internacionales tuvo lugar en Cartagena en el año de 1834 y, como de costumbre, la convirtió otra vez en epicentro de la vida nacional. Nos referimos al incidente diplomático y posterior bloqueo de nuestro puerto, ocasionado por la prisión del Cónsul de Francia en nuestra ciudad, Sr. Adolfo Barrot.

Personalidad de Barrot

Barrot era funcionario de carrera, y hermano de un político entonces muy poderoso en Francia, el señor Odillon Barrot. Tenía, por otra parte, la pretensión de creer que los cónsules, como los Ministros y Embajadores, gozaban de un fuero que les otorgaba inmunidades especiales, y él personalmente, debió de ser un hombre altivo, muy pagado de sus preeminencias, e incluso desdeñoso para con la población local.

Se vivía, además, por aquellos años en nuestro país en una atmósfera de gran inquietud política por las retaliaciones que contra los bolivianos se habían desatado durante el gobierno del General Santander, y se respiraban aires de gran antipatía contra los extranjeros y en especial contra los europeos. Todo lo cual, reunido, no necesitaba sino de la chispa para que se generalizara el incendio.

El crimen de Maparapa

Y esta se presentó con ocasión de cierto crimen, ocurrido en la hacienda de Maparapa, a orillas de nuestra bahía, donde su propietario, el inglés Mr. Woodwine, fue asesinado por unos esclavos, junto con su mujer y su hijo, para robarle. Esto sucedía el 26 de julio de 1834. Una comisión policiva presidida por el Alcalde menor de la parroquia, señor Vicente Alandete, mozo apenas de unos 18 años "présque un enfant", como de él dijera el propio Barrot, pero ya aficionado a la bebida, fue en busca de los cadáveres; y, al llegar con estos al muelle de la Aduana, donde un gentío desordenado se reunió para verlos desembarcar, se suscitó un cambio de palabras entre Alandete y el cónsul de Francia, señor Barrot, quien pretendió, no sin cierta razón, poner orden en aquel tumulto vocinglero, asumiendo las funciones que el Alcalde, por su estado de embriaguez, era incapaz de realizar.

Alandete agredió entonces al cónsul de palabra y de hecho; y aunque éste se retiró prudentemente a su casa, hasta allá penetró arbitrariamente el funcionario local en persecución del francés. Luego, cuando éste quiso algunos días más tarde embarcarse a bordo de la fragata "Topaze" que se hallaba en el puerto, un populacho enardecido se lo impidió y le cerró la puerta del muelle de la Aduana.

Prisión de Barrot

De todo esto resultó que Barrot fue puesto injustamente preso por orden del Alcalde segundo municipal, señor Pedro Castellón, y en la cárcel permaneció unos quince días; con el agravante de que, mientras tanto, su casa fue parcialmente saqueada. De aquí en adelante se precipitaron en cascada una serie de incidentes. Como primera medida la opinión pública se dividió a propósito del caso, y los viejos bolivianos encontraron pretexto para atacar al gobierno, al que culpaban de imprevisión y arbitrariedad, mientras que los amigos de éste lo defendían con una lluvia de hojas volantes. Barrot, por su parte, hizo levantar una información de testigos, y se dirigió simultáneamente a las autoridades granadinas demandando perjuicios, y a las de su país poniéndoles la queja de lo sucedido.

El Ministro de Francia en Bogotá, señor Le Moyne ofició al de Relaciones Exteriores de la Nueva Granada, que era el cartagenero D. Lino de Pombo O'Donnell, en demanda de sanción para las autoridades que tan abusivamente habían ofendido al cónsul de su país; pero D. Lino, so pretexto de la tridivisión del poder público y de la independencia de su rama judicial, le dio largas al asunto para complacer a los corifeos del santanderismo, haciendo causa común con el gobierno de Cartagena, que a la sazón estaba presidido por el Coronel José María Vezga.

Cuestión de principio: llega la Flota

Así pasaron varios meses, en medio de gran agitación política, sin que el asunto se resolviera; pues si fue cierto que Barrot había sido injustamente agraviado y vejado, y que el caso merecía una sanción, ello no podía significar, como los franceses pretendíanlo, que nuestro gobierno reconociera a los simples cónsules el fuero de la extraterritorialidad, y otras prerrogativas. Con lo que el pleito de Barrot, se complicó con una cuestión de principio, y se prolongó más de lo debido. Hasta que en una de esas, ya en el mes de octubre, una flotilla francesa enviada desde Martinica al mando del Almirante Le Graudais, con instrucciones de bloquear y bombardear la ciudad si a Barrot no se le hacía rápida justicia, se presentó frente a Cartagena, echó anclas frente al baluarte de La Merced, y Barrot corrió a refugiarse furtivamente en una de aquellas naves, pese a que sobre él pendía una sentencia judicial de primera instancia que todavía no había sido resuelta por el Tribunal Superior. Este hecho, o sea la presencia amenazante de las naves francesas, y el texto de las agresivas notas que su Comandante le dirigió al Coronel Vezga, decidieron la situación; pues aunque éste replicó a ellos con dignidad y altivez, y aun tomó medidas para resistir una agresión armada por parte de los franceses, finalmente el gobierno nacional no tuvo más camino que ceder ante el poderío de los cañones extranjeros; y, dejando a un lado las cuestiones de principio, tomó las medidas para que a Barrot se le indemnizara y para que Alandete fuera sancionado, al menos teóricamente, así como para que el gobierno de París fuese desagraviado.

Reconciliación a la fuerza

Para tal efecto, el Gobernador Vezga fue sustituido, y en su lugar se nombró al General José Hilario López quien se trasladó a Cartagena y allí presidió el año siguiente, en el mes de octubre, varias ceremonias en virtud de las cuales los dos gobiernos se reconciliaron; y, acto humillante para los cartageneros, el mismo señor Adolfo Barrot, tan odiado, fue reinstalado con honores en su consulado, donde permaneció algunos meses más, hasta su traslado a Egipto y posterior elevación nada menos que a la Embajada de Francia en Madrid.

Aquel incidente, durante el cual Cartagena vivió días de gran expectativa bajo el terror de un bombardeo, fue el primero de carácter internacional que hubo de afrontar la Nueva Granada en su historia independiente, y le mostró a los granadinos cómo era cierto que si nos habíamos emancipado de la tutela de España, también habíamos quedado solos en el campo internacional, y a merced de las demás potencias imperialistas.

EL INCIDENTE RUSSEL

No habían transcurrido sino escasos tres años desde el caso Barrot, cuando un nuevo incidente, ocurrido esta vez en Panamá, vino a perturbar la vida de Cartagena, con la presencia de otras velas hostiles, esta vez de nacionalidad inglesa.

Los sucesos habían sido parecidos a los de la prisión de Barrot, y en ellos estuvo también involucrada la cuestión, todavía no bien aclarada por el derecho internacional, de si los cónsules gozaban o no de las mismas prerrogativas que tenían los Ministros y Embajadores plenipotenciarios.

El incidente

En efecto, el procónsul británico en la capital istmeña, señor Joseph Russel, había tenido diferencias de negocios con el distinguido comerciante panameño don Justo Paredes, y cierto día, habiéndose encontrado en la calle, se originó entre los dos un lance en el que Paredes resultó herido con un estoque que el inglés traía disimulado dentro de un bastón. En el tumulto a que el suceso dio lugar en seguida, un juez cantonal que se hizo presente, el señor Juan Antonio Díez, en vez de poner preso al agresor, como habría sido lo natural, descargó sobre Russel tremendo bastonazo, rompiéndole la cabeza.

De ahí en adelante se cruzaron dos pleitos, uno de Paredes contra Russel, quien fue puesto preso con la casa por cárcel; y otro de Russel contra el Juez y contra la Nación.

La bolsa o la vida

El negocio empezó a arrastrarse lentamente en medio de grandes peripecias procedimentales, hasta que el Ministro inglés en Bogotá, enterado de todo, y ateniéndose sólo a la versión de su agente consular, conminó al gobierno granadino, entre otras pretensiones, a poner en libertad al procónsul, y a indemnizarlo "por las crueles ofensas que se le han irrogado". De lo contrario, decía, "el almirante inglés Sir Halkett tiene órdenes de obrar de la manera que considere más oportuna para hacer efectivo el sostenimiento de las justas demandas del gobierno de S.M.B... y se han dado órdenes análogas a los comandantes de los buques de S.M. en el Pacífico": era "la bolsa o la vida".

Pero en este caso, como en el de Barrot, también estaba de por medio una cuestión de principio, que la Nueva Granada no podía olvidar; ni el orgullo nacional se resignaba a que de nuevo se nos humillara con exigencias que no tenían más respaldo que la fuerza bruta de las armas. "Sorprende verdaderamente, le contestó D. Lino de Pombo al Ministro inglés en luminoso y firme alegato, que el gobierno de S.M.B. recurra a la fuerza para vengar imaginarios ultrajes antes que intentar la vía pacífica de las negociaciones, y que, tratándonos de la manera empleada sólo algunas veces con naciones berberiscas o hacia pueblos de bárbaros feroces, no nos deje partido que elegir entre la humillación más degradante y las deplorables aunque de gloriosas consecuencias de la firme y tenaz resistencia contra una agresión súbita improvisada y poderosa".

El bloqueo inglés

Todo fue inútil; el 1º de enero de 1837, la flota inglesa comandada por el Comodoro Peyton, bloqueó el puerto de Cartagena y durante un mes se fue apoderando, uno por uno, de todos los barcos mercantes que iban apareciendo en nuestro horizonte. De este modo la ciudad vio acortarse peligrosamente sus abastecimientos, que tanto dependían del exterior, y prácticamente aquello equivalió a un sitio más, entre los muchos que le tocó sufrir a través de su agitada vida.

Semejantes hechos despertaron en todo el país justa indignación; el Presidente, general Santander, emitió una patriótica proclama prometiendo hacer "lo que el honor exige" y de nuevo envió a Cartagena al General José Hilario López, pero esta vez no como Gobernador sino como Jefe Militar de la Provincia, para que hiciera frente al conflicto, y el General López hizo cuanto pudo, incluyendo alguna preparación militar; pero no obstante esto, y a pesar de las gestiones diplomáticas que simultáneamente empezaron a desarrollarse, la flota inglesa se mantuvo irreductible y no cedió en el bloqueo, sino cuando consiguió que en Panamá pusieran en libertad al procónsul Russel, y que el gobierno de Cartagena le pagara a éste, en metálico, y sin que mediara sentencia judicial ninguna, la suma miserable de cinco mil pesos. La humillación que la nación granadina sufrió con aquella injusta agresión imperialista fue grande y dolorosa; pero históricamente fue mayor la infamia que aquel atropello hizo recaer sobre la nación inglesa, que tan cobardemente se había valido de su fuerza, no ya para exigir una satisfacción de orden moral como fue el caso de Francia cuando el cónsul Barrot, sino para cobrar una suma no debida legalmente, y además, de proporciones ridículas.

LA GUERRA DE LOS SUPREMOS

El sitio de Carmona en 1841

En el año de 1839, el Congreso decretó la supresión de unos conventos de frailes en Pasto. La medida la había propuesto el propio Obispo de esa Diócesis, pues aquellas comunidades estaban casi desiertas. Pero al ser ejecutado aquel decreto, se desató en aquella ciudad sureña una serie de motines que luego se complicaron con las rivalidades políticas y personales existentes entre los generales Tomás Cipriano de Mosquera y José María Obando, así como con las también existentes entre los amigos del gobierno nacional, que presidía el doctor José Ignacio de Márquez (que fueron llamados "partido de los ministeriales"), y los del general Santander, (que se titulaban "progresistas"). De por medio estaba también la vieja disputa política sobre federalismo y centralismo.

Con este motivo, una sangrienta y cruel guerra civil conocida como "la guerra de los Supremos", porque en cada provincia surgió un caudillo que se pronunció autodenominándose "jefe supremo", llegó a cubrir, como voraz incendio, todo el territorio de la República, y Cartagena, tratándose de guerra, no podía ser ajena a aquella catástrofe.

Pronunciamiento en Cartagena

En el mes de octubre de 1840 el entonces coronel Juan Antonio Gutiérrez de Piñeres, llevado por un pronunciamiento militar en el que participó la plana mayor de la guarnición de Cartagena, había aceptado ponerse de parte de la revolución declarándose Jefe Superior o "Supremo" de la Provincia, e incluso había declarado a Cartagena "momentáneamente separada del gobierno de la Nueva Granada". Era una nueva independencia absoluta del Estado de Cartagena, como en 1811; pero algún tiempo después, el coronel Piñeres y sus compañeros resolvieron "contrapronunciarse" (julio de 1841) y establecer en el gobierno al legítimo mandatario Don Antonio Rodríguez Torices.

Personalidad de Carmona

Sin embargo, esto mismo desató la ira de los revolucionarios, especialmente de Santa Marta, Mompós, Riohacha y otras poblaciones de la costa, los cuales se reorganizaron, se armaron, y, con una fuerza de algo más de mil quinientos hombres al mando del general Francisco Carmona, pusieron sitio a Cartagena, mientras que con las fuerzas sutiles de que disponían en el río Magdalena, impedían que el gobierno central protegiese la plaza.

El general Carmona era también venezolano, y era hombre de gran nombradía en la guerra de la Independiencia, pues había sido nada menos que el segundo del general José Antonio Páez en la jornada inmortal de las Queseras del Medio. Su presencia como Supremo en el Magdalena al frente de las tropas sitiadoras parecía, pues, una carta de triunfo. Los primeros cinco meses del sitio transcurrieron sin que se produjeran choques de importancia entre los contrincantes; pero la ciudad vivió bajo la angustia del hambre, pues si bien es cierto que podía recibir algunos auxilios del exterior, en cambio se hallaba totalmente desconectada del resto de la república y de su propia provincia.

El desarrollo del sitio: más efectos del alcohol

Hallándose en esta situación, ocurrieron dos hechos de singular importancia: por un lado, en el mar, la flotilla de los revolucionarios, que mandaba el teniente de fragata Antonio Padilla, hermano del lamentado general de ese mismo apellido, fue batida en Cispata por la de Cartagena bajo órdenes del ya septuagenario General de Marina Rafael Tono; mas la noticia de este triunfo, que tan importante era para las fuerzas legitimistas sitiadas, trajo consigo también grandes calamidades. Pero, cedamos aquí la pluma al General Joaquín Posada Gutiérrez, quien participó y vivió las peripecias de aquella guerra civil, y va a narrarnos estos sucesos con la autoridad de un testigo excepcional: "La noticia del combate naval de Cispata, dice Posada, causó en Cartagena un alboroto que puso la plaza al borde del precipicio. Tengo que decir las cosas como fueron, aunque me sea penoso hacerlo. En el baluarte del Reducto, del ángulo del Barrio de Jimaní, que mira a la espléndida e incomparable bahía, las libaciones y los brindis en celebración del triunfo llegaron a producir sus consecuencias naturales: la embriaguez y el sueño. Eso facilitó al oficial de guardia, que era sobrino del Comandante de las fuerzas sutiles enemigas, entregar a éste el puesto sin combate ni alboroto. Eran pocos los rebeldes, y no se atrevieron a seguir a la plaza propiamente dicha, donde nada se sintió hasta el amanecer, cuando, volteados los cañones del Reducto, las balas rasas anunciaron la traición o el descuido. En el acto, los coroneles Piñeres y Núñez, el Comandante de ingenieros, Andrés Castillo, el Gobernador Torices, algunos otros y la columna de jóvenes llamada "de la Unión" acudieron a cerrar y reforzar las puertas de las dos bóvedas por donde se sale de la plaza a dicho barrio. El baluarte de San Juan de Dios y toda la muralla que barre de frente la plaza del Matadero, rompieron el fuego contra el Reducto y contra los otros baluartes de la muralla que rodean el barrio, que fue ocupado inmediatamente por las fuerzas sitiadoras. Este incidente, después de haber estado Cartagena por más de cinco meses haciendo una resistencia vigorosa, aislada en medio del fuego, ocupada por los enemigos, sin tesoro, con escasos víveres, sin confianza en sus propios elementos de defensa, porque los 300 reclutas de la tropa llamada veterana, no la inspiraban; con sus fortificaciones en el más lamentable estado de ruina, sin una buena cureña en la muralla, sin un fusil en sus parques; este incidente digo, y los 25 días de combate que le siguieron, durante los cuales las dos partes en que está dividida la ciudad pelearon una contra otra sin descanso, sin ceder un palmo, sin flaquear un momento, si bien pusieron la plaza en terribles conflictos, coronaron de gloria a sus defensores, que tan bravamente sostuvieron el renombre de esa mi patria amadísima, hoy tan deprimida, llamada con razón "Cartagena la Heróica".

Como se ve, la situación de Cartagena en aquella ocasión fue gravísima. Y casi con seguridad Carmona habría podido ganarla, si la noticia de las repetidas victorias alcanzadas por el general Pedro Alcántara Herrán en Ocaña, y de José María Gómez en Ovejas, así como las subsiguientes operaciones del primero sobre Santa Marta y del segundo sobre las sabanas de Corozal, no lo hubieran obligado a levantar el sitio en tropel, para retirarse a Sabanalarga y Barranquilla.

EL COLERA LLEGA A CARTAGENA

Un acontecimiento gravísimo, que contribuyó a la decadencia de Cartagena, y que mermó aún más su población ya escasa, fue la aparición en la ciudad de la peste del "cólera morbo" en el año de 1849.

Las primeras sospechas de esta epidemia se presentaron cuando dos grandes piraguas, tripuladas por pescadores que bogaban un tanto mar afuera, fueron sorprendidas por gran chubasco, que las obligó a regresar a toda vela; al otro día murieron repentinamente dos o tres de estos marineros. Al día siguiente cayeron varios más en el mercado, que entonces, según Posada Gutiérrez, "era uno de los más variados del mundo", porque a más de las provisiones que llegaban en canoas por la bahía, se sumaban "más de cien burros cargados de víveres, que al romper el día entraban por la puerta de tierra de la Media Luna": escena sin duda pintoresca.

La gente creyó al principio que se trataba de envenenamiento causado por la "yuca brava"; pero, hecho el reconocimiento por los facultativos, se halló ser la terrible peste que, por primera vez, llegaba al Nuevo Mundo, procedente del Asia. De las personas atacadas en el mercado, "ninguna vio ponerse el sol". En la noche, la enfermedad se duplicó, y en los siguientes días se aumentó en proporción creciente, al punto de que el gran patio del cementerio se llenó de cadáveres y fue preciso cavar profunda y amplia zanja para sepultar en fosa común a los muertos, que eran conducidos por carretadas. Se hacían tiros de cañón, anota Posada Gutiérrez, creyendo que podía purificarse el aire con las detonaciones, pero nada se consiguió, sino causar nuevo espanto y acrecentar la consternación.

Muchas medidas se adoptaron por las autoridades para aliviar a la pobrería, que era la más afectada en aquella triste ocasión, pues se observó que en las casas altas -sin duda en mejores condiciones sanitarias- no caían tantas víctimas. Todas las clases sociales, sin embargo, fraternizaron entonces en medio de la tragedia, prestándose mutuo socorro; pero entre aquellos que, con espíritu caritativo, se pusieron al servicio de los enfermos, brilló la abnegación, que aún se recuerda, del doctor Vicente A. García, quien se entregó por entero a atender a los apestados.

Pasadas cinco semanas, empezó a moderarse el furor de la epidemia cuyo curso siguió, río arriba, por el Magdalena, a Honda y Ambalema, pero sin alcanzar a Bogotá. No se llevó estadística de las víctimas, pero Posada Gutiérrez calculó que perecieron entonces no menos de cuatro mil personas, o sea, prácticamente la tercera parte de la población. Como en el sitio de Morillo.

EL ASUNTO MACKINTOSH

El día 1º de noviembre de 1856, muy de mañana, el vigía de la Popa, por medio del semáforo de banderas, anunció que una escuadra inglesa se aproximaba a la ciudad. Y así era, en efecto. A las dos de la tarde, los navíos de S.M.B. echaban ancla en la bahía, y pedían permiso para saludar a la plaza.

Aunque la visita tenía un aparente fin amistoso, aquella flota traía en realidad otros propósitos menos pacíficos: se trataba de cobrar cierta deuda contraída por Colombia con un súbdito inglés.

El empréstito

Esta deuda databa de 1821, cuando el venezolano D. Luis López Méndez, como representante de la Gran Colombia, había contratado en Londres, con el señor James Mackintosh, un empréstito por 150.000 libras esterlinas, cuyo objeto era el de comprar armamento y equipo para un ejército de 10.000 hombres.

Desde que en Colombia se supo la culminación de este negocio, se tuvieron sospechas sobre la forma y condiciones en que había sido celebrado, y por esta razón el gobierno del Gral. Santander lo improbó; pero las cosas ya estaban andando, y así, en los primeros meses de 1822, llegaron a Cartagena tres navíos ingleses, los bergantines "Tarántula" y "Spey", y la corbeta "Lady Boringdon", "forrados en cobre con toda perfección", y trayendo a su bordo el cargamento de Mackintosh.

De momento, las autoridades portuarias de Cartagena se negaron a recibir aquellas mercancías; mas, como precisamente por esos días se supo la noticia de que Maracaibo había caído de nuevo en manos realistas, nuestro gobierno, alarmado, no tuvo más camino que echar mano de aquel equipo, de tan dudosas condiciones, pero tan oportunamente llegado, e incluso se quedó con las tres naves que lo habían conducido, para incorporarlas a la flota nacional.

La deuda Mackintosh quedó así perfeccionada.

Dificultades para el pago

De allí en adelante la historia de la deuda Mackintosh se dilata en una relación del interminable papeleo a que el acreedor fue sometido durante más de treinta años, para cobrar lo que se le debía, con sus intereses.

En los primeros tiempos, Colombia no pagaba, sencillamente, porque había quedado en bancarrota después de la guerra de Independencia; pero luego sobrevino la desintegración de la Gran Colombia, y un largo pleito entre las tres repúblicas que de aquella habían surgido, para decidir cómo debían pagarse las deudas comunes, impidió que Mackintosh fuera satisfecho. No obstante, la mora en los años subsiguientes, no sólo tuvo como origen la pobreza del fisco de la Nueva Granada, y la anarquía reinante, sino cierta renuencia de nuestros administradores a pagar una deuda contratada en condiciones leoninas. Mientras tanto, como es lógico, la obligación crecía con los intereses que se iban acumulando, y cada vez se hacían más difíciles los intentos, numerosísimos, que se hicieron para arreglar aquel enojoso asunto.

Agresión imperialista

A mediados de la década de 1850, la situación se había agravado, y las relaciones con Inglaterra se habían hecho tan tirantes, que la Corona británica resolvió al fin responder a los aplazamientos de la Nueva Granada con un cobro "manu militari", por la boca de sus cañones. Y no otra era, como dijimos, el objeto de aquella "atenta" visita que los navíos ingleses hacían a nuestro puerto.

Gobernaba a Cartagena por aquellos días el Dr. Manuel Narciso Jiménez, a quien el gobierno de Bogotá había ya dado aviso de lo que podía suceder, pero ordenándole observar "absoluto secreto" sobre la materia. El Dr. Jiménez, sin embargo, quiso hacer copartícipe de las responsabilidades que veía venir, a la Legislatura Provincial, y le envió a ésta un mensaje sobre el particular; el cual, conocido que fue del público, produjo gran conmoción y el pueblo cartagenero empezó entonces a manifestarse tumultuosamente; pero, no tanto contra la nación inglesa, sino principalmente, contra los gobernantes de la capital, a quienes se culpaba de abandonarnos a nuestra propia suerte, sin prever a nuestra defensa, mientras que por otra parte se trataba de eludir el pago de una deuda legítimamente contraída. En aquellas circunstancias, el Dr. Jiménez trató de calmar al pueblo, y emitió una proclama pidiendo respeto para los súbditos y las propiedades británicas.

Pero los ánimos seguían tensos; y en aquellas circunstancias se encontraba la ciudad, cuando la flota inglesa penetró efectivamente a la bahía. Al poco tiempo, el Comandante impuso al Gobernador de las órdenes que había recibido en el sentido de bloquear a Cartagena, y bombardearla, si la deuda Mackintosh no era cancelada inmediatamente. El Gobernador pidió entonces un plazo de 40 días para oficiar al gobierno central y resolver lo pertinente.

Final inesperado

Mientras corría el plazo concedido, una novedad se presentó a bordo de las naves inglesas: varios tripulantes cayeron enfermos de fiebre amarilla, y algunos murieron. Alarmado, el Comandante de la flota se dirigió entonces al Gobernador Jiménez pidiéndole permiso para enterrar aquellos cadáveres, y cualesquiera otros que hubiere, "a cualquier hora del día o de la noche", y el permiso fue concedido. Pero no sólo eso: a iniciativa del noble y recursivo Gobernador Jiménez, los cartageneros abrieron entonces sus puertas y se ofrecieron para recibir en sus casas a los marinos ingleses apestados. Todas las familias, de alta y baja condición, emularon en aquella labor caritativa y humanitaria . Y muchos enfermos se salvaron.

Cuando de Bogotá vino una respuesta más o menos vaga a las intimaciones inglesas, ya era tarde: el Comandante de la flota había pedido al Almirantazgo de Jamaica que enviara a otro oficial que se encargara de destruir a una ciudad por la que él no podía sentir sino gratitud imperecedera.

Algún tiempo después, los navíos ingleses se alejaron de nuestro puerto. La deuda Mackintosh siguió insoluta hasta 1873.

NIETISTAS Y CARAZISTAS

A partir del sitio puesto a la ciudad por el General Carmona y con el advenimiento de un gobierno central fuerte, que preservó la paz bajo el rígido comando nacional del General Tomás Cipriano de Mosquera, la vida política de Cartagena se serenó durante la década de 1840, y llevó un ritmo menos agitado, como lo demuestra el hecho de que, por primera vez, en nuestra vida republicana, un Gobernador, el General Joaquín Posada Gutiérrez, pudo permanecer en el mando durante cuatro años consecutivos.

Pero con el triunfo del partido liberal en 1849, y el ascenso al poder del General José Hilario López, nuevamente el clima político local, que hacía eco al de toda la nación, volvió a alterarse. Esta fue la era en que llegó a su apogeo la influencia del general Juan José Nieto, cuya fuerte e interesante personalidad domina prácticamente las décadas centrales del siglo.

Personalidad del General Juan José Nieto

Nieto era un ciudadano de origen humilde, natural de Tubará, en el cantón de Barlovento, que por su inteligencia, dinamismo e ilustración de autodidacta, logró triunfar en el medio social de Cartagena, de suyo estricto, llenando el vacío que la generación procera de la época emancipadora había dejado en las filas de nuestra clase dirigente local.

A su audacia y ambición, unió Nieto otras cualidades, como por ejemplo el hecho de ser cultivador de las letras, en cuyo campo espigó con varias publicaciones, entre ellas una "Geografía de la Provincia de Cartagena" y cierta novela titulada "Ingermina o la hija de Calamar" que ha sido reconocida por la crítica de nuestra literatura colombiana como la primera en el orden cronológico, ya que no en el estético. Todo lo cual, además de dos matrimonios sucesivos con damas de familias aristocráticas de Cartagena, lo convirtieron en el personaje más notable y controvertido de nuestra política local por aquellas calendas.

Fue una lástima que Juan José Nieto hubiera desgastado sus notables capacidades en quisicosas de la política local, a veces aliado a causas poco claras, como la dictadura del General Melo, de quien fue agente en esta ciudad; otras, encabezando golpes de estado contra gobiernos locales legítimos, como fue el caso de don Juan Antonio Calvo, a quien derribó del poder en el año de

1857; pero sobre todo, aliándose con el General Mosquera para derrocar al Presidente Mariano Ospina Rodríguez, en cuya aventura llegó a tomarse a Santa Marta a sangre y fuego, a declararle la guerra al estado de Antioquia, cuyo territorio invadió en buques de vapor por el Cauca, y a autoproclamarse él mismo Presidente de los Estados Unidos de Colombia. Luego se enredó en una lucha parroquial con el que se consideró como su contra-hombre, el general Antonio González Carazo. La pugna entre "nietistas" y "carazistas" copó algo más de una década de nuestra vida política, y mantuvo caldeado permanentemente el clima político local, a veces con revoluciones sangrientas, como la de 1864, sin que para tanta agitación mediaran altos ideales, sino rivalidades personales entre los dos Jefes y sus seguidores, y disputas por el usufructo del poder.

Finalmente, Nieto fue obligado a renunciar como Presidente del Estado, por una revolución interna, encabezada por el General Santodomingo Vila y financiada por comerciantes tabacaleros de El Carmen de Bolívar y otras poblaciones, los cuales se oponían a un decreto de empréstito forzoso para relimpiar el Canal del Dique que Nieto había decretado. Los tabacaleros exportaban ya su tabaco por Barranquilla, y el Canal del Dique no les interesaba. Nieto murió poco después, en 1866.

De otro modo Nieto habría podido brillar con luces propias en el firmamento nacional. Sin embargo, puede afirmarse, sin exageración, que en el marco local, comparte con el doctor Rafael Núñez el mérito de haber sido uno de los dos personajes más notables de la política cartagenera en toda nuestra era republicana, durante el siglo XIX.

CARTAGENA DURANTE EL REGIMEN FEDERAL

Durante el régimen federalista, de 1863 a 1886, el Estado Soberano de Bolívar vio pasar por el Palacio de Gobierno de Cartagena, nada menos que 34 Presidentes en sólo 23 años. Es cierto que algunos, como el General Ramón Santodomingo Vila, el doctor Rafael Núñez y el General Manuel González Carazo, ejercieron el cargo varias veces; pero ello no destruye la impresión nítida que nos queda, de la gran inestabilidad política que se vivía por aquellos tiempos. Tiempos que, además, lo fueron también de agitación bélica, pues aparte las conspiraciones, golpes y contragolpes de que la ciudad era teatro, no faltaron "guerritas" contra los Estados Soberanos vecinos, y desde luego, episodios sangrientos dentro del propio recinto urbano, que mantuvieron la opinión pública en agitación permanente.

El 8 de diciembre

Uno de esos episodios, que dejó recuerdo imborrable, durante varias generaciones, fue el de los asesinatos perpetrados a sangre fría en el Camellón de los Mártires, en la noche del 8 de diciembre de 1876.

Se vivía por entonces en medio de gran exaltación política, pues en el país había estallado una guerra civil, en la que los conservadores de Antioquia y el Tolima, al mando del General Marceliano Vélez, llevaban la bandera principal contra el gobierno radical entonces imperante. Aquella insurrección, fomentada en buena parte por las autoridades eclesiásticas, que se hallaban profundamente resentidas por la persecución oficial, se había extendido principalmente por el interior de la República, pero tenía sus tentáculos también en la Costa, y el radicalismo temía que pronto se levantaran también las poblaciones de esta región del país. Entonces ocurrieron en Cartagena los asesinatos a que nos hemos referido, que un grupo de ciudadanos indignados describió así, a los pocos días:

"Anoche como a las siete y media de la noche, una gavilla de feroces bandidos atacó en el paseo público (el camellón de los Mártires) a todos los conservadores que halló a su paso. El joven José Urueta, sentado en el escaño del paseo, fue herido de una puñalada descargada a traición. A las 12 de la noche ya no existía. El doctor Dionisio E. Vélez que se hallaba sentado, en unión del señor Manuel Núñez Ripoll, también en el paseo, fue igualmente atacado por los que claman contra el patíbulo. El señor Núñez Ripoll pudo salvarse exclamando: ¡yo soy Núñez, yo soy Núñez!; mas el señor Vélez encontró su pérdida en gritar: ¡yo soy Vélez, yo soy Vélez!. A cada nuevo grito, se descargaba nuevo golpe. Sólo Dios sabe cómo no pudo nuestro amigo morir en la villana escena. El señor Benjamín Moreno, vicecónsul de su Majestad el Rey de Holanda, concurrente al paseo, y tomado sin duda por el señor Manuel I. Vélez, con quien tenía alguna semejanza, sufrió también los efectos de la rabia de los fanáticos de esta ciudad. Un balazo y numerosas heridas pusieron fin a su existencia, anoche mismo, pocas horas después de la nocturna carnicería. El señor Agustín Vélez fue la última víctima de los bárbaros. Acabados que fueron los sucesos del paseo, fue atacado en la Calle de Lozano, a cien metros de la guardia que está en la Boca del Puente. Corrió a refugiarse en la botica de 'Román Hermanos', sin que le valiera aquello para salvar su vida. Detrás, entraron los asesinos haciendo tiros, uno de los cuales destrozó el reloj del establecimiento, descargando machetazos sobre las lámparas y armarios. Subió el señor Vélez las escaleras de la casa, corrió por los pasadizos que conducen al comedor, y llegó a entrar en otra pieza; mas, herido en el tránsito, fue allí a caer exánime, sin oponer más resistencia que la de la fuga. Anoche mismo expiró el señor Vélez".

Estos crímenes horrorizaron a la opinión sensata de ambos partidos, por los caracteres alevosos que revistieron. Los autores materiales de la masacre fueron poco después identificados, y se les siguió un juicio en el que confesaron, y fueron condenados a varios años de presidio; pero nunca se pudo saber con certidumbre quiénes fueron los verdaderos autores intelectuales de aquella abominable página de nuestra historia.

LA ERA DE NUÑEZ

Quizá como una compensación por la pérdida de su importancia económica, la República le dio, en cambio, a Cartagena, durante la segunda mitad del siglo XIX la oportunidad de ejercer profunda influencia política en los destinos de la nacionalidad colombiana. Este desquite vino a través del doctor Rafael Núñez, quizá el más esclarecido de sus hijos.

El primer Núñez

Núñez nació en Cartagena el 28 de septiembre de 1825, y era hijo legítimo del coronel Francisco Núñez García y de doña Dolores Moledo García, su prima hermana, con quien se casó cuando ésta tenía apenas catorce años. Desde muy joven, ya dio muestras de su inclinación por las cosas del espíritu y, en particular, por la política, la poesía y el periodismo. Su carrera política fue rapidísima y fulgurante. En 1848 era ya Juez en el distrito de Alanje (David) en el Istmo de Panamá, donde contrajo primeras nupcias con la señorita Dolores Gallego Martínez. En 1852 fue Secretario del General Juan José Nieto, Gobernador de Cartagena, y como tal redactó el mensaje que éste pasó a la Cámara Provincial sobre abolición de la esclavitud. Al año siguiente, 1853, fue elegido Representante al Congreso por primera vez, a cuya Vicepresidencia fue exaltado y luego pasó a ser Secretario (Ministro) de Gobierno del Presidente General José María Obando. Después fue sucesivamente Secretario de Guerra y Marina del presidente Manuel María Mallarino, diputado a la Asamblea del Estado de Panamá (recientemente creado), y Senador por la misma circunscripción.

En 1862, Núñez es nombrado por el General Tomás Cipriano de Mosquera como Secretario del Tesoro y Crédito Público, en cuyo cargo le tocó dictar las medidas legales encaminadas a la desamortización de los bienes eclesiásticos llamados de "manos muertas". Al año siguiente asistió, por pocos días, a la célebre Convención de Rionegro, donde se aprobó la Constitución Federal de 1863, pero se retiró de las deliberaciones en desacuerdo con la adopción de ese sistema de gobierno.

Candidatura y derrota

En 1864 Núñez viaja al exterior; primero, a Nueva York, y luego a Europa como Cónsul general en el Havre, y después en Liverpool, donde permanece once años consecutivos, hasta 1875 cuando, elegido Senador, regresa a la patria después de haber publicado un libro de ensayos de carácter político y social. El Partido Liberal, al que Núñez pertenece, está a la sazón dividido en dos grandes sectores: el de los radicales, dirigido por un grupo de personajes a los que la historia conoce con el nombre de "el Olimpo Radical", a cuyo frente se encuentran los doctores Manuel Murillo Toro y Santiago Pérez, entre otros. Y el de los "Independientes", que se agrupan enseguida alrededor de Núñez. Don Rafael es recibido con alborozo por estos últimos a su llegada al país, y proclamado por ellos como candidato a la Presidencia de la República para el período de 1876 a 1878. Pero resulta derrotado en elecciones sangrientas e impuras por el candidato oficial del Olimpo, D. Aquileo Parra. Núñez debe contentarse con ser elegido Presidente de su Estado natal, el Estado Soberano de Bolívar. Se residencia entonces de nuevo en Cartagena, y en 1877, después de contraer matrimonio civil con la señorita Soledad Román y Polanco, previo divorcio legal de su primera esposa, se instala en la casa de doña Soledad en el Cabrero.

Regeneración o catástrofe

La derrota de Núñez en las elecciones presidenciales de 1875 no fue, empero, sino el punto de partida de una grandiosa campaña política que se iniciaría en 1878, y que con el lema de "regeneración o catástrofe", y teniendo como fondo la prédica de la moderación, la convivencia, la paz religiosa y el respeto al partido vencido, lo llevaría a ser elegido cuatro veces Presidente de la República en los años subsiguientes, y le daría la oportunidad de reunir y reorganizar a la República a la que el sistema federalista, potenciado en sus defectos por la testarudez y el dogmatismo utópico de los radicales, había sumido en pavoroso caos.

En efecto, no tardó Núñez en ser candidatizado nuevamente a la Presidencia de los Estados Unidos de Colombia y fue elegido para ese alto cargo por primera vez en el año de 1880. Desde entonces, su influencia en los destinos nacionales es incontrastable; pese a la furiosa oposición del radicalismo que no escatimaba armas, por ruines y aleves que fueran, es llevado por segunda vez a la Presidencia en 1884 por una coalición de los liberales independientes con los conservadores. Núñez se propone en ese momento llevar a cabo por medios legales una gran trasformación política que le devuelva la estabilidad, la paz y la unidad a la nación, fragmentada en nueve estados soberanos con nueve legislaciones diferentes, nueve ejércitos, nueve gobiernos independientes uno de otro, que se hacían la guerra entre sí como si fueran potencias enemigas, y no miembros de un mismo cuerpo soberano.

La guerra civil de 1885

Pero el radicalismo, obnubilado hasta la demencia, le declara la guerra. Una violenta revolución cubre de sangre al país. Cartagena, en particular, sufre los horrores de un nuevo sitio, el último, hasta ahora, en su historia, pero no el menos cruel: el sitio de Gaitán Obeso, en 1885.

Rodeado de enemigos y traicionado por muchos de sus viejos conmilitones y copartidarios, Núñez busca entonces apoyo militar en el conservatismo; y, junto con los independientes que se mantuvieron fieles a su lado, libra una campaña que salva el principio de la legitimidad y destruye por completo al ejército revolucionario: primero en Cartago, luego en Panamá, más adelante en la propia Cartagena, y finalmente en la batalla de la Humareda, a orillas del río Magdalena, cerca de El Banco.

La Constitución de 1886

Conocida esta noticia, Núñez sale al balcón del palacio de San Carlos en Bogotá, y frente a una manifestación popular que lo vitorea, exclama: "La Constitución de 1863 ha dejado de existir". Poco después, el 11 de noviembre de 1885, el Presidente Núñez instala un Consejo Nacional de Delegatarios de los antiguos Estados Soberanos, donde es redactada la Constitución de 1886. Como dijo él mismo, aquella Carta no fue "parto de febriles cerebros, sino la codificación natural y básica de los anhelos de la nación". Y añadió: "La reforma se hizo por sí sola, como cae la fruta del árbol".

La Regeneración y el Concordato

La obra de Núñez estaba pues, cumplida, en lo político y estructural, aunque por desgracia no por las vías pacíficas, como él la deseó y la propuso, sino en medio de una pavorosa convulsión social.

Elegido nuevamente en 1886 para la primera magistratura (y ésta era ya la tercera) el señor Núñez apenas ejerció el mando por pocos meses, pero alcanzó a poner en marcha numerosos proyectos de orden práctico en el campo de las obras públicas, entre los cuales varios ferrocarriles; y, en lo tocante a Cartagena, el famoso malecón del Cabrero y del Limbo, y el ferrocarril a Calamar. Alcanzó también en el campo económico a realizar un cambio total, una verdadera revolución, con la fundación del Banco Nacional, que fue el embrión de lo que actualmente constituye el Banco de la República, y cambió el sistema ya obsoleto de la moneda de oro como único medio de transacciones comerciales por el de la moneda fiduciaria o de papel, que provocó grandes reacciones, pero que terminó por imponerse como la única capaz de sostener el mundo económico moderno. Pero sobre todo, Núñez alcanzó en aquellos días, a hacer la paz con la Iglesia, que venía siendo perseguida en forma sistemática por los radicales, y logró firmar un Concordato con el Vaticano, que ha perdurado, con algunos cambios recientemente introducidos, hasta nuestros días.

El retiro en El Cabrero

Concluida aquella labor, Núñez dejó el ejercicio del gobierno en manos del Vicepresidente, D. Carlos Holguín y vino a recluirse, ya en 1888, en la casá del Cabrero. Desde allí continuó defendiendo su obra por medio de sus editoriales en "El Porvenir" y allí vinieron a buscarlo para elegirlo por última vez Presidente de la República en el año de 1893: era su cuarto período. Se preparaba a viajar a la capital para encargarse del poder, cuando lo sorprendió la muerte el día 18 de septiembre de 1894.

Combatido con acerbía implacable por sus enemigos, ensalzado por sus admiradores, Núñez descuella entre los colombianos como la figura más sobresaliente que ha dado la Patria después de Bolívar, y par, por los menos de Santander, y el influjo de sus ideas de unidad, de moderación y convivencia social, se han prolongado hasta nuestros días.

EL SITIO DE GAITAN OBESO

Ricardo Gaitán Obeso era un joven radical, "ambicioso, sin privilegiado talento, ardoroso en los placeres y de instrucción apenas mediana", según concepto de su copartidario el memorialista Foción Soto. Pero supremamente audaz, lo que le permitió jugar papel importantísimo en la guerra civil de 1885, que el radicalismo liberal le declaró al doctor Rafael Núñez, para derrocarlo de la Presidencia de Colombia, y que asoló con sus fuegos el territorio nacional.

Se inicia el sitio

Gaitán Obeso había comenzado por dar un golpe sorpresivo en Honda, donde se apoderó de toda la flota fluvial amarrada a ese puerto, con la cual descendió por el río Magdalena, se fue tomando todas las poblaciones intermedias, y terminó apoderándose de Barranquilla, con lo que, prácticamente, se hizo dueño de medio país, e interceptó las comunicaciones del gobierno central con el mundo exterior. Luego, financiado por el comercio de Barranquilla, que con ello buscaba liquidar de una vez por todas a la vieja rival, Gaitán enfiló sus fuegos contra Cartagena, que en aquellos momentos era una plaza aislada, sin fuerzas para contra-atacar, y que habría podido ser abandonada a su suerte, sin exponerse a los peligros que significaba estrellarse contra sus baluartes aún poderosos. Pero estaba de por medio una cuestión de prestigio, porque Cartagena era la patria nativa del odiado Regenerador, y había que humillarlo golpeándolo donde más debía dolerle. Se decidió así el joven caudillo revolucionario a poner sitio a nuestra ciudad, por tierra, con cerca de 3.000 hombres entusiastas, y por mar con cinco buques fluviales, entre ellos una vieja draga, armados en guerra, que en forma sorprendente logró sacar en el ventoso mes de marzo por las Bocas de Ceniza para fondearlos frente al baluarte de La Merced. Su cuartel general se estableció en La Popa, y el Castillo de San Felipe cayó pronto entre sus manos, desde donde empezó a bombardear a la plaza con el único cañón moderno que poseía, al que llamaban "El Vigilante".

La estrategia de Núñez

La situación del Presidente Núñez y su gobierno se hizo entonces crítica; pero felizmente, sus fuerzas lograron despejar el camino hacia el mar Pacífico, y con las batallas de Roldanillo y Cartago, victoriosas para la legitimidad, ésta se abrió paso hacia Buenaventura y Panamá, a donde viajó una columna expedicionaria al mando del General Rafael Reyes. Esas fuerzas debían viajar luego en auxilio de Cartagena, una vez debelada la revolución en el Istmo, como lo consiguieron. Y, al mismo tiempo, otra expedición salió con el mismo objetivo desde Medellín hacia la Costa, por la trocha de San Jorge, al mando de los Generales Juan N. Mateus y Manuel Briceño. Y en buena hora venían ya esos socorros hacia Cartagena, porque el sitio llevaba dos meses, y la situación de la ciudad en materia de víveres era crítica. El hambre, nuevamente, empezaba a afligir a la población, y se temía una repetición de la catástrofe de 1815.

Pero, ¿llegarían a tiempo aquellos auxilios?

Gaitán comprendió que el tiempo se acortaba y que si no daba un golpe certero, rápido y decisivo, su ejército, desgastado ya por el prolongado asedio, se vería acogido como entre las garras de una pinza: la que venía por el San Jorge, y la procedente de Panamá. Y después de una agitada sesión de su Estado Mayor, se decidió un insensato ataque frontal contra la plaza. Había que jugarse el todo por el todo.

La derrota del 9 de mayo

Así fue como, en la noche del 8 al 9 de mayo de 1885, una inmensa hoguera encendida en la cumbre de La Popa, dio la señal del ataque. "El Vigilante" empezó a tronar desde San Felipe con sus estampidos, y los sitiadores se lanzaron al ataque detrás de la insignia revolucionaria, que era una bandera blanca, cruzada de rojo en el centro. Su estrategia era simple: al paso que una columna simulaba atacar por el lado de la Aduana, en el mar, los barcos fluviales iniciarían un desembarco entre las sombras de la noche, para penetrar por "El Boquetillo", en la zona del baluarte de La Merced. Pero aquellas tropas de soldados del interior, que en su mayoría no sabían nadar, iban a comprobar cómo por aquella costa, según lo afirmara el Barón de Pointis casi doscientos años antes, "el mar es un señor invencible". "En efecto -dice en sus "Memorias" Foción Soto, que era uno de los 40 generales revolucionarios que sitiaban a la plaza- ignorando los generales Sarmiento y Arana, encargados de esta operación, el tiempo que pudiera y debiera emplearse en atravesar tres o cuatro cuadras con el agua hasta más arriba de la cintura y a veces cubriendo las olas a los hombres, determinaron que para que los soldados no se desbandasen ni se ahogaran en la oscuridad, se mantuvieran unidos unos con otros por medio de cuerdas, y se pusieron en movimiento desde las nueve de la noche, aprovechando la oscuridad, para acercarse al Boquetillo sin ser vistos; pero resultó que, a pesar del cuidado que se puso, algunos se desprendieron del lazo y hubo una solución de continuidad en la columna del ataque, cuya cabeza apenas llegó a penetrar con Arana y unos 20 hombres al interior de la ciudad, donde tomaron el Cuartel de Artillería, y resistieron valientemente hasta las

6 de la mañana". Pero el resto de los improvisados infantes de marina perecieron en la descabellada aventura: unos ahogados, otros masacrados desde lo alto de las murallas; y otros, en fin, capturados mediante el ingenioso y elemental ardid, utilizado por los soldados gobiernistas, de fingirse amigos de los asaltantes que trepaban con escaleras por las murallas, ayudándolos a subir, y haciéndolos prisioneros en cuanto estaban del lado de adentro.

La derrota de los revolucionarios fue completa. Al día siguiente, a la salida del sol, más de 500 cadáveres de los asaltantes yacían al pie de las formidables fortalezas.

LA CUESTION CERRUTI

A mediados de julio de 1898 se presentó frente a Cartagena, y entró seguidamente a la bahía, una poderosa escuadra italiana. Componíanla cuatro naves de guerra; el crucero "Carlos Alberto", con 49 cañones; la fragata "Bauden", con 25; la "Calabria", con 20; y, en fin, la "Umbría" con 31. La tripulación total estaba compuesta por 1.378 hombres.

Visita "amistosa"

Aparentemente, esta escuadra venía en visita amistosa. Y como desde Bogotá no lo habían puesto en guardia, el Gobernador del Departamento de Bolívar, D. Eduardo B. Gerlein, recibió cortesmente al comandante de la Flota, Almirante Candiani. Luego lo invitó a participar en el Te Deum que se debía llevar a cabo en la Catedral con motivo del 20 de Julio, y lo convidó luego a tomar una copa de champaña con el mismo motivo en el Club Cartagena. Por su parte, la banda de músicos de la escuadra italiana participó en la conmemoración con algunas piezas de su repertorio.

El ultimatum

Dos días después, apenas cumplidas las formalidades de etiqueta, Candiani solicitó audiencia especial del Gobernador Gerlein; y, una vez concedida, sacó de su guerrera una carta: era la notificación oficial de un ultimatum que su gobierno le daba a Colombia para que, en el término perentorio de cuatro días, éste procediera, primero: a hacer cesar el procedimiento judicial que los acreedores del súbdito italiano Ernesto Cerruti hubieran intentado contra él; y segundo, a depositar en un banco la cantidad de 20.000 libras esterlinas a órdenes del gobierno italiano, como garantía para Cerruti. El ultimatum advertía a Colombia que una respuesta negativa sobre cualquiera de estos puntos, "no podría menos de comprometer la amistad entre los dos países". En otras palabras, si no se pagaba aquella suma dentro del término brevísimo fijado, Cartagena sería bloqueada y bombardeada.

Esta fue la última vez, hasta nuestros días, que Cartagena se vio enfrentada a una emergencia de carácter militar. Pero, ¿por qué el gobierno italiano procedió de aquella manera? ¿Quién era Ernesto Cerruti? ¿Por qué reclamaba esa elevada suma? Es esta una historia larga, compleja y dolorosa para el honor nacional, que puede resumirse en las siguientes líneas.

Quién era Cerruti

Era Ernesto Cerruti un inmigrante italiano, radicado en Cali, garibaldino, anticlerical y de inquieto temperamento, que había llegado al país hacia 1870, y contraído aquí nupcias con una nieta del General Tomás Cipriano de Mosquera. Desde entonces empezó a involucrarse en la política nacional, siempre en apoyo de los radicales, pese a su situación de súbdito italiano, que conservaba cuidadosamente. Algo más: ese status de extranjero lo utilizaban algunos políticos radicales amigos suyos para poner sus bienes en cabeza de él, o en sociedades por éste dirigidas, a fin de ponerlas a salvo de eventuales confiscaciones, como entonces era frecuente en nuestras contiendas civiles.

Al fin, debido a las actividades de Cerruti durante la guerra civil de 1885, abiertamente favorables a la causa revolucionaria, el gobierno del Estado Soberano del Cauca, presidido por el General Eliseo Payán, le confiscó al italiano sus bienes personales y los de la sociedad E. Cerruti & Cía., donde cayeron los bienes de varios políticos radicales, entre ellos los del expresidente General Ezequiel Hurtado, a quienes servía de testaferro. Más adelante, Cerruti fue detenido, pero se fugó en un barco de guerra italiano que "casualmente" había hecho escala en Buenaventura.

El litigio

Con motivo de este acto confiscatorio, Cerruti entabló más tarde, ya pasado el conflicto, un pleito contra el gobierno de Colombia, que alcanzó resonancia internacional, pues sobre él recayó, finalmente, un laudo arbitral de nadie menos que del Presidente Cleveland de los Estados Unidos, favorable a sus pretensiones; pero el gobierno de Colombia se negó a cumplir la totalidad de aquel fallo, en el que se incluía una cláusula inicua, consistente en que Colombia debía pagar no sólo los perjuicios causados a Cerruti directamente, sino también las deudas que éste tuviera contraídas a favor de terceros.

El gobierno italiano tomó entonces la determinación de bloquear e incluso de bombardear a Cartagena para obligar así a Colombia a pagar de inmediato, sin más demoras, la indemnización a su compatriota; pero, lo hizo, como se ha visto, en forma pérfida y aleve, porque aquella formidable flota, que tenía 125 cañones, se había presentado ante nuestras autoridades, como hemos dicho, en forma amistosa.

Indignación popular

El relato que el Gobernador de Bolívar, D. Eduardo Gerlein, dejó escrito de estos sucesos, dice que con motivo de aquella amenaza, que revivía el recuerdo de otras semejantes ocurridas años atrás, -Barrot, Russel, Makintosh-, el pueblo de

Cartagena inflamado de patrióticos sentimientos, salió a las calles, en pública manifestación de protesta, coronó la estatua recientemente inaugurada del Libertador, y la banda municipal de músicos no cesó de ejecutar el Himno Nacional en el fuerte del Pastelillo, en cuyas cercanías se hallaban anclados los navíos italianos. "En mis comunicaciones al gobierno, dice el señor Gerlein, no solicité siquiera contingente de patriotas, porque habrían sobrado, sin llamamiento, al tener la noticia del ataque". Pero las comunicaciones con Bogotá en ese entonces eran muy difíciles. El Obispo de la Diócesis, Monseñor Brioschi, que era italiano y medió en seguida en el conflicto, consiguió que el Almirante Candiani ampliara el plazo inicialmente concedido: "se calculó, dice el mismo prelado, que en 14 días podía transmitirse el texto del ultimatum a Bogotá, por correo, y que el gobierno tendría la facultad de contestar por telégrafo en seis". Y añade: "Afortunadamente, en aquellos días, las líneas funcionaron mejor que nunca, y, como estaba reunido el Congreso, el Poder Ejecutivo pudo contestar muy a tiempo".

Triste desenlace

Ahora bien, esa respuesta no fue sino una nueva humillación, otra imposición de la fuerza sobre la debilidad. El Gobernador Gerlein nos lo cuenta de este modo: "Dos días antes de cumplirse el plazo del ultimatum una junta de caballeros, presidida por el Ilustrísimo Monseñor Brioschi, se dirigió a bordo del buque Almirante, no oficialmente, para inquirir hasta dónde podrían llegar las instrucciones que tenía el señor Candiani, y después de eso se reunieron en una pieza reservada del Club Cartagena en donde me manifestaron: que se llegaría al bloqueo y hasta el bombardeo de la ciudad. En esta conferencia resolví, y fue aceptado por todos, hacer lo más público la noticia, y prepararnos para la defensa".

Pero, -añade el señor Gerlein-, se presentó en esos momentos el telegrafista, y me entregó un telegrama suscrito por el Ministro de Relaciones Exteriores de Colombia, dirigido al almirante Candiani, en el que, bajo formal protesta aceptaba el ultimatum, es decir, se disponía pagar la indemnización. Como se pagó en efecto, gracias a los servicios del Banco de Colombia, entidad esta que prestó al gobierno colombiano las 20 mil libras esterlinas que Candiani exigía como pago inmediato, las cuales fueron situadas, por cable, en el Banco Hambro, de Londres, a favor del gobierno de Italia.

Sólo con la constancia de ese giro, la flota italiana abandonó el puerto de Cartagena, dejándole a los habitantes de la ciudad el triste recuerdo de su alevosía y su perfidia.

El "Corralito de Piedra" Calle de la Estrella, 1900.

DECADENCIA DE CARTAGENA
"El Corralito de Piedra"

Al término de la guerra civil de 1840, la situación económica y social de Cartagena, que había logrado algún repunte en las primeras décadas de la República, tornóse francamente catastrófica. Su declinación como puerto comercial era ya evidente; su comercio decaía a ojos vistas, y poco a poco se iba trasladando a Barranquilla, que, ya para aquellos días, rivalizaba con la capital, como lo demuestran las siguientes cifras comparativas de población, según censo realizado en 1834:

Cartagena   22.171
Barranquilla   11.510

Como se ve, Barranquilla tenía ya una población equivalente a la mitad de la de Cartagena; pero la fuerza de su comercio era mucho mayor, porque inclusive para esta época en Barranquilla existían algunas máquinas a vapor, para aserrar maderas y limpiar algodón, y la población de la ciudad tenía una fuente permanente de trabajo en los astilleros, en donde se construían embarcaciones para la navegación por el río. Se estaba ya pensando, además, en la apertura del puerto de Sabanilla, como una aduana independiente a la de Cartagena y Santa Marta.

Un grupo de cartageneros, conscientes de aquella situación, trató pronto de luchar contra el fenómeno. Con ese fin se fundó la "Sociedad Patriótica de Cartagena" que pretendía promover el comercio y el progreso de la vieja ciudad, y bajo sus estímulos, se aprobaron varias medidas legislativas y se realizaron algunos esfuerzos, como por ejemplo, el dragado del canal de Bocachica, la proyectada apertura del de Bocagrande, la declaratoria de la ciudad amurallada como puerto libre, que se logró hacer efectiva, pero sin resultados prácticos de importancia, entre 1856 y 1858; y, sobre todo, la limpieza, dragado y rectificación del Canal del Dique, vía esta cuya importancia se reconoció entonces como de primerísima necesidad, para hacerle frente a la crisis que se estaba viviendo.

El canal del Dique

A este último respecto fueron muchas las intentonas que durante el curso del siglo XIX se hicieron para poner en servicio permanente esa vía, y para navegarla a vapor. La historia registra los esfuerzos realizados en diversas ocasiones para lograrlo, bien por disposiciones legales que ordenaban el adelantamiento de los trabajos, o estimulaban la formación de empresas para la navegación fluvial, ora mediante proyectos y contratos que, por una u otra razón, nunca llegaron a realizarse sino parcialmente. Quizá la obra más importante que en tal sentido logró llevarse a cabo, fue la que realizó en 1844 el ingeniero norteamericano G.M. Totten, quien rectificó el cauce entre Calamar y Santa Lucía con trabajos que se prolongaron durante seis años a un costo de 350.000 pesos. También es digna de mención la formación de una compañía de navegación fluvial que ya a finales del siglo, promovió el acaudalado empresario D. Pedro Vélez Martínez, empresa esta que llegó a poseer cinco vapores en servicio y subsistió, pero con dificultades, hasta principios del siglo XX. Pero todo aquello fue inútil: el destino de Cartagena parecía sellado, y su declinación era un hecho irrevocable. En el año de 1874 fue suprimido el consulado de los Estados Unidos en la ciudad. "Cartagena parece estar dormida a la sombra de la Popa", escribió Eliseo Reclus por aquellos días en su libro "Viaje a la Sierra Nevada". Y un visitante norteamericano aseguraba que "Cartagena es una ciudad terminada, y en ella parece que nada hubiera sucedido durante los últimos cien años".

Las turbulencias políticas

Las turbulencias de la vida política nacional contribuyeron no poco a aquella progresiva caída; por ejemplo, en vísperas de la guerra civil de 1860-1863, el Presidente Mariano Ospina Rodríguez, como retaliación al pacto celebrado entre los generales Mosquera y Juan José Nieto contra su gobierno, procedió a cerrar los puertos de Cartagena y Sabanilla, con lo que Santa Marta cobró inusitado auge, pero sobre todo a costa de Cartagena; y, desde luego, no hay duda de que la revolución de 1885 contra Núñez, que trajo consigo el último sitio a la ciudad, contribuyó a su marginamiento y a su ruina final.

El Ferrocarril Cartagena-Calamar

El máximo esfuerzo realizado por la ciudad en busca de su salvación fue la construcción del ferrocarril Cartagena-Calamar, obra auspiciada directamente por el Presidente de la República, doctor Rafael Núñez, desde su refugio del Cabrero.

De este ferrocarril se había comenzado a hablar ya desde 1845: y en 1864, aquella idea tomó cuerpo en la Ley de 28 de mayo de ese año, que ordenaba construir una línea férrea desde la bahía de Cartagena hasta el río Magdalena; pero sólo en 1881, once años después de que ya Barranquilla hubiera completado su ferrocarril a Sabanilla, el Congreso dio autorización para contratar esta comunicación de Cartagena con el río. Varios proponentes se presentaron entonces, pero no fue sino hasta 1882 cuando fue contratada por fin la suspirada vía férrea, en la que tantas esperanzas se cifraban, con el señor Samuel McConnico, a quien se le concedieron varios subsidios y el monopolio exclusivo de explotación de la línea durante 50 años. El contrato incluyó la construcción de muelles y depósitos en los terminales marítimo y fluvial.

Oposición de Barranquilla

A esta obra se opusieron ciegamente los comerciantes de Barranquilla; y el cónsul norteamericano en esa ciudad, señor Whenpley, le escribió a su gobierno estas ominosas palabras: "Si los capitalistas norteamericanos desean enterrar sus ingresos sobrantes en la región menos saludable y productiva de este país, donde hoy no hay riqueza, ni industria, ni población, es obvio que están en toda libertad para hacerlo".

Obviamente, la opinión del cónsul Whenpley estaba influida por los comerciantes barranquilleros, que ya habían sido capaces de financiar, como hemos visto en otro capítulo, la expedición que el general Gaitán Obeso dirigió contra Cartagena para sitiarla en 1885, pero esa opinión no era del todo descaminada, pues la realidad fue que el ferrocarril de Cartagena a Calamar no impidió, en lo más mínimo, que la decadencia de Cartagena se consumara.

El Corralito de Piedra

El que describió mejor que nadie, con su reconocida perspicacia aquella catastrófica situación, que ni él mismo, con todo su poder político pudo conjurar, fue el propio doctor Rafael Núñez, cuando en carta a cierto amigo le escribía: "Esta ciudad perece de inanición, literalmente; sus hijos se ausentan de ella por docenas en busca de trabajo, que aquí no tienen; puedo asegurarle a usted que las cuatro quintas partes de la población de Cartagena, la redentora, se acuestan todas las noches sin saber con qué habrán de desayunarse al día siguiente...".

Pero dejemos que hablen las cifras con su elocuencia incontrastable. He aquí la estadística que muestra las cifras comparativas de la población de Cartagena y Barranquilla durante el siglo XIX:

Año de 1834	Cartagena 22.171	Barranquilla 11.212
1843	" 20.257	" 11.510
1851	" 18.567	" 12.265
1881	" 9.681	" 16.982
1905	" 14.000	" 40.115

No es extraño, pues, que cuando las primeras luces del siglo XX alumbraron a la vieja y gloriosa ciudad, Cartagena se encontrara en la más deplorable y crítica situación, ni que el espíritu sarcástico de un viejo cartagenero de aquellos tiempos, cuyas genialidades aún se recuerdan, bautizara a la antes heroica, poderosa ciudad amurallada, ahora en plena postración, con el apodo, entre burlón y afectuoso de "el Corralito de Piedra".

CARTAGENA EN EL SIGLO XX

Al comienzo del siglo XX, Cartagena parecía una ciudad acabada. Por primera vez en su turbulenta historia de plaza fuerte, dos guerras civiles sucesivas, la de 1895, y la prolongada y sangrienta de los "Mil Días" que estalló en 1899, ni siquiera se aproximaron para amenazarla: sus baluartes no servían para nada. En la de 1895 la ciudad se limitó a enviar un batallón de reclutas para que peleasen en tierras santandereanas.

Sin embargo, Cartagena no se resignaba a morir. En las elecciones presidenciales de 1904, casi se lleva la palma con un candidato cartagenero, el doctor y General Joaquín F. Vélez, quien, a no ser por un fraude célebre en los anales del país, hubiera sido Presidente de Colombia. Luego, durante el progresista gobierno del General Rafael Reyes (1904-1909) Cartagena dio algunas muestras de recuperación, cuya manifestación más palpable fue la construcción de un primer acueducto, que captó las aguas de las fuentes de Matute, en Turbaco, y la fundación de varias industrias que, aunque de corta vida, fueron síntoma de alguna vitalidad, notablemente la del Ingenio Azucarero de Sincerín.

La ciudad siguió manteniendo así, aunque en forma precaria, el ritmo de su vida durante las dos décadas siguientes; y tal vez la línea ligeramente ascensional que había mostrado en los primeros años del siglo se habría mantenido estable, si los trabajos de dragado y modernización del Canal del Dique, y los del Ferrocarril Troncal de Occidente, iniciados ambos en la década de 1920, no se hubieran interrumpido, a causa de la depresión económica mundial; y, en parte también, por cierta pérdida de influencia en las decisiones del gobierno central, que sobrevino para Cartagena con los cambios políticos ocurridos en el país en 1930.

A partir de esa fecha, todos los grandes y redentores proyectos que Cartagena tenía en marcha, menos el establecimiento en Mamonal de un puerto terminal para el oleoducto de Barrancabermeja, y la construcción de unos modernos muelles en la isla de Manga, se quedaron inconclusos; pero el oleopuerto era ajeno a la vida local, y los muelles no servían para nada, o para poco, pues la ciudad seguía prácticamente incomunicada con los demás centros productores y consumidores del país: no había sino una navegación intermitente por el Canal del Dique, no había ferrocarriles ni carreteras hacia el interior del país, y la navegación fluvial por el Magdalena, dominada enteramente por Barranquilla, convertía al ferrocarril Cartagena-Calamar en un sistema de comunicación simplemente local.

No obstante, Cartagena sobrevivió también a aquella nueva crisis y, aunque retrasadísima en comparación con el resto de las ciudades del país, que habían florecido al amparo de una paz prolongada y de nuevas circunstancias económicas, llegó a la década de 1940 todavía con ganas de vivir.

El vuelco del destino ocurrió en la segunda mitad del actual siglo XX. En el año de 1951, el Canal del Dique fue definitivamente rectificado, dragado, modernizado y dado a un servicio regular y permanente. Con esto, la ciudad respiró una gran bocanada de aire fresco, y pudo navegar por el río Magdalena sin interrupciones. Un poco más tarde, el oleoducto de Mamonal, que hasta entonces se había mantenido al margen, daba origen al establecimiento de una refinería de petróleo y a una poderosa cadena de industrias petroquímicas; luego, la carretera troncal de Occidente, que venía a reemplazar el sueño trunco del ferrocarril a Medellín, trajo otra corriente de vida desde las montañas del antiguo "Zenufana" antioqueño; y, finalmente, la facilidad de las comunicaciones aéreas, terrestres, marítimas y fluviales de nuestro puerto, sumadas a la dotación de una completa red de servicios públicos modernos y bastante aceptables, a la belleza del paisaje y a las reliquias históricas que la misma pobreza en que Cartagena había vivido durante un siglo salvó de la total destrucción, trajeron consigo la industria turística, hoy en pleno florecimiento; y todos estos elementos, reunidos, han restituido a la "Ciudad Heroica" algo de su antigua grandeza, y le han dado una nueva vida, no completamente ajena al destino militar para que nació, pero sí diferente, multifacética, alegre y próspera, cuyo ritmo creciente deben, sin embargo, vigilar y orientar, con inteligencia, las nuevas generaciones.

BIBLIOGRAFIA BASICA

Arrázola, Roberto. "Documentos para la Historia de Cartagena" (3 volúmenes). Tipografía Hernández, Cartagena, 1967.
-"Historial de Cartagena de Indias", Editorial Colombia, Buenos Aires, 1943.
-"Los Mártires Responden", Ediciones Hernández, Cartagena, 1973.
-"Palenque, Primer Pueblo Libre de América", Ediciones Hernández, Cartagena, 1970.
-"Secretos de la Historia de Cartagena", Tipografía Hernández, Cartagena, 1967.

Bledsoe, Thomas. "San Pedro Claver", Publicaciones del Depto. de Humanidades de la Universidad de Cartagena, Cartagena, 1957.
Boletín Historial, de la Academia de la Historia de Cartagena.
Boletín de Historia y Antigüedades, de la Academia Colombiana de Historia

Borrego Pla, María del Carmen. "Palenques Negros en Cartagena de Indias a fines del siglo XVIII", Escuela de Estudios Hispano-Americanos, Sevilla, 1977.

Bossa Herazo, Donaldo. "El Mueble Colonial Cartagenero del siglo XVIII". Gráficas El Faro, Cartagena, 1975.
-"Construcciones, Demoliciones, Restauraciones y Remodelaciones en Cartagena de Indias", Gráficas El Faro, Cartagena, 1975.
-"Cartagena Independiente, Tradición y Desarrollo", Ediciones Tercer Mundo, Bogotá, 1967.
-"Guía Artística de Cartagena de Indias", Imprenta Editorial Retina, Bogotá, 1955.
-"La Vida Novelesca e Infortunada del Doctor Ignacio Muñoz, Paladín de la Libertad", Impresora Marina, Cartagena, 1961.
-"Un documento Capital y poco conocido de la Historia de Cartagena", Revista "Lámpara", 1961.

Bowser, Frederick P. "El Esclavo Africano en el Perú Colonial", Siglo XXI Editores, México, 1977.

Brioschi, Pedro Adán. "Veinticinco Años de Apostolado, Labores, Dolores, Consuelos", Tip. Penitente, Cartagena, 1921.

Caro Baroja, Julio. "Las Brujas y su Mundo", Alianza Editorial, Madrid, 1966.
-"Inquisición, Brujería y Cripto-Judaísmo", Editorial Ariel, Barcelona, 1972.

Carvajal & Co. "Viajeros Extranjeros en Colombia", Carvajal & Co., Cali, 1970.

Corrales, Manuel Ezequiel. "Documentos para la Historia de la Provincia de Cartagena de Indias, hoy Estado soberano de Bolívar en la Unión Colombiana", Imprenta de Medardo Rivas, Bogotá, 1883.
-"Efemérides y Anales del Estado de Bolívar", Casa Editorial de J.J. Pérez, Bogotá, 1889.

Concejo Municipal de Cartagena, "Documentos para la Historia de Cartagena, 1810-1812", Tipografía Hernández, Cartagena, 1963.
-"Documentario de Cartagena de Indias", Editora Bolívar, Cartagena, 1976.

Cunninghame Graham, Roberto B. "Cartagena y las Riberas del Sinú", Publicaciones del Departamento de Córdoba, Montería, 1968.

De Castellanos, Juan. "Historia de Cartagena" Biblioteca de Cultura Popular de Colombia, Talleres

Gráficos Luz, Bogotá, 1942.
-"Discurso del Capitán Francisco Drake", Instituto de Valencia de D. Juan, Madrid, 1921.

De las Casas, Fray Bartolomé. "Historia General de las Indias", Editora Nacional, México, 1951.

Del Castillo Mathieu, Nicolás. "El Primer Núñez". Ediciones Tercer Mundo, 1971.
-"El Puerto de Cartagena", Revista "Thesaurus", Bogotá, 1965.

Delgado, Camilo S. "Historias, Leyendas y Tradiciones de Cartagena", Mogollón, Editor, Cartagena, 1947.

Del Real Torres, Antonio. "Biografía de Cartagena", Imprenta Departamental, Cartagena, 1946.

Dominique, Pierre. "La Inquisición", Luis de Garalt, Editor, Barcelona, 1973.

Eymeric, Nicolau. "Manual de Inquisidores", Editorial Fontamara, Barcelona, 1974.

Friede, Juan. "Fuentes Documentales para la Historia del Nuevo Reino de Granada", Biblioteca del Banco Popular, Bogotá, 1975.

Fernández de Enciso, Martín. "Summa Geographica", Biblioteca del Banco Popular de Bogotá, 1974.

Fernández de Oviedo, Gonzalo. "Historia General de las Indias", Colección Rivadeneira, Madrid, 1959.

Groot, José Manuel. "Historia Eclesiástica y Civil de la Nueva Granada", Casa Editorial de M. Rivas & Co. Bogotá, 1889.

Gutiérrez de Piñeres, Eduardo. "Documentos para la Historia del Departamento de Bolívar", Imprenta Departamental, Cartagena, 1924.

Hartman, Cyril Hughes. "The Angry Admiral", The Windmill Press, Kingswood, Surrey, 1953.

Henao y Arrubla. "Historia de Colombia", Librería Voluntad, Bogotá, 1971.

Institoris, Henry; Spengler, Jaques. "Le Marteau de Sorcières", Editorial PLON, París, 1973.

Jiménez Molinares, Gabriel "Los Mártires de Cartagena de 1816 ante el Consejo de Guerra y ante la Historia", Imprenta Departamental, Cartagena, 1947.
-"Linajes Cartageneros", Imprenta Departamental, Cartagena, 1951.

Lemaitre, Eduardo. "Antecedentes y Consecuencias del Once de Noviembre de 1811" (Testimonios relacionados con la gloriosa gesta de la independencia absoluta de Cartagena de Indias), Impresora Marina, Cartagena, 1961.
-"La Bolsa o la Vida", Impreso por Op. Gráficas Ltda. Bogotá, 1974.

Lemaitre, Daniel. "Corralito de Piedra", Editora Bolívar, Cartagena, 1948.

Liévano Aguirre, Indalecio. "Rafael Núñez", Ediciones Librería Siglo XX, Editorial Cromos, Bogotá, 1944.

Marco Dorta, Enrique. "Cartagena de Indias, Puerto y Plaza Fuerte", Alfonso Amadó, Editor, Cartagena, 1960.

Mártir de Angleria, Pedro. "Epistolario", en "Documentos Inéditos para la Historia de España", Imprenta Góngora, Madrid, 1953.

Mollien, G. "Voyage dans la République de la Colombie, 1823", chez Arthur Bertrand, Libraire,

Paris, 1825.

Medina, José Toribio. "La Imprenta en Bogotá y la Inquisición en Cartagena de Indias", Editorial ABC, Bogotá, 1952.

Nieto, Juan José. "Geografía Histórica, Estadística y Local de la Provincia de Cartagena, Repúbli ca de la Nueva Granada", Imprenta de Eduardo Hernández, Cartagena, 1839.

Nichols, Theodore E. "Tres Puertos de Colombia", Biblioteca del Banco Popular, Bogotá, 1973.

Ortiz, Sergio Elías. "Nuevo Reino de Granada, el Virreinato", en "Historia Extensa de Colombia", Ediciones Lerner, Bogotá, 1970.
-"Dos Economistas Coloniales", Banco de la República, Bogotá, 1965.

Otero D'Costa, Enrique. "Comentos Críticos sobre la Fundación de Cartagena de Indias", Impren- ta La Luz, Bogotá, 1933.

Otero Muñoz, Gustavo. "La Vida Azarosa de Rafael Núñez", Editorial ABC, Bogotá, 1951.

Palacios de la Vega, Joseph. "Diario de Viaje entre los Indios y Negros de la Provincia de Cartage- na de Indias en el Nuevo Reino de Granada, 1787-1788", Editado por G. Reichel-Dolmatoff, Editorial ABC, Bogotá, 1955.

Palacios Preciado, Jorge. "La Trata de Negros por Cartagena de Indias", Ediciones "La Rana y el Aguila", Tunja, 1973.

Porras Troconis, Gabriel. "Cartagena Hispánica, 1533-1810", Editorial Cosmos, Bogotá, 1954.
-"Vida de San Pedro Claver", Editorial Santa Fe, Bogotá, 1954.
-"La Magna Epopeya de Cartagena", Editorial Temis, Bogotá, 1965.
-Documental Concerniente a los Antecedentes de la Declaración de Independencia Absoluta de la Provincia de Cartagena", Talleres Artes Gráficas, Mogollón, Cartagena, 1961.
-"¿Quién dio nombre a Cartagena?", Revista de Indias, Madrid, 1962.

Peredo, Diego. "Noticia Historial de la Provincia de Cartagena de Indias, Año 1772", en Anuario Colombiano de Cultura, de la Facultad de Ciencias Humanas de la Universidad Nacional, nú- meros 6 y 7, Bogotá, 1971-1972.

Posada Gutiérrez, Joaquín. "Memorias Histórico-Políticas", Imprenta Nacional, Bogotá, 1929.

Restrepo, J.M. "Historia de la Revolución de la República de Colombia en la América Meridio- nal", Biblioteca Popular de Cultura, Talleres Gráficos Luz, Bogotá, 1942.

Ramos, Demetrio. "Funcionamiento socio-económico de una Hueste conquistadora: la de Pedro de Heredia en Cartagena de Indias", Separata de la "Revista de Indias", Madrid, 1969.

Simón, Fray Pedro. "Noticias Historiales de las Conquistas de Tierra Firme en las Indias Occiden- tales", Editorial Kelly, Bogotá, 1953.

Tejado Fernández, Manuel. "Apuntes de la Vida Social en Cartagena de Indias durante el Seiscien- tos", Escuela de Estudios Hispano-Americanos, Sevilla, 1954.

Torres, Alberto Henrique. "Homenaje a D. Blas de Lezo", Editorial Casanalpe, Cartagena, 1955.

Turbeville, A.S. "La Inquisición Española", Fondo de Cultura Económica, México, 1949.

Urueta, José P. "Cartagena y sus Cercanías" Guía Descriptiva de la Capital del Estado Soberano de Bolívar en los Estados Unidos de Colombia, Tip. Donaldo E. Grau, Cartagena, 1888.

Valtierra, S.J. Angel. "El Santo que Libertó a una Raza", Editorial Pax, Bogotá, 1963.

-"El Esclavo de los Esclavos", Antares, Bogotá, 1954.

Vergara, José Ramón. "Escrutinio Histórico", Editorial ABC, Bogotá, 1939.

Zapatero, Juan Manuel. "Las Guerras del Caribe en el Siglo XVIII", Instituto de Cultura Puertorri
queña, San Juan de Puerto Rico, 1964.
-"Cartagena de Indias; Estudio Asesor para su Restauración", C. Bermejo, Madrid, 1969.